DU MEME AUTEUR

NEANT 8.

Sur simple envoi de votre carte nous vous tiendrons
régulièrement au courant de nos publications.
Editions J.-C. LATTES - 23, av. Villemain, Paris (14e)

DANIEL GRAY

Dangereuse Lucrezia

ROMAN

JClattès

DANS LA MEME COLLECTION

A paraître

I

Ce fut pendant le dernier hiver de la guerre, entre
Noël et le nouvel an, que je rencontrai Lucrezia Allegri.

Décembre 1944. Trois années auparavant, j'avais
réussi à quitter la France occupée pour rejoindre de
Gaulle. J'avais navigué jusqu'en Océanie et servi sur
différents bâtiments avant de participer au débarque-
ment en Méditerranée. Ma dernière affectation m'avait
chargé de mission à bord de l'aviso *La Joyeuse,* alors
basé à Naples.

Ce jour-là, 27 décembre, le commandant me fit
appeler. Nous étions en patrouille entre la Crète et
l'Egypte. Il pleuvait, je m'en souviens. Il n'avait cessé de
pleuvoir depuis la veille de Noël. Pour quelque raison —
peut-être la lassitude d'un métier qui, après tout, n'était
pas le mien — le dernier hiver de guerre me parut
dépasser en rigueur ceux qui l'avaient précédé. Le vent
glacé traversait nos vêtements de mer. Le sel faisait
craquer notre peau et tailladait nos lèvres. Pourtant,
j'étais heureux. La singulière allégresse qui m'habitait
tenait moins à ma jeunesse — j'avais déjà vingt-huit ans
— et à une excellente santé qu'à plusieurs certitudes : la
fin de la guerre était proche. J'allais retrouver Paris que
j'aimais. La carrière qui m'attendait promettait d'être
belle. Libre comme la pensée, je ne connaissais ni

attaches ni soucis. Et je plaignais le commandant d'Harleville qui, de dix années mon aîné, était affligé d'une épouse et de quatre filles.

La matinée touchait à sa fin, quand j'allai le rejoindre au carré.

— Asseyez-vous, Durtal, me dit-il.

Il me regarda.

— Vous êtes gelé. Un cognac vous réchauffera.

Et il sonna son maître d'hôtel.

Il avait l'air préoccupé. Son visage au teint et aux yeux clairs était franc et sillonné de rides.

Nous nous entendions bien. J'aimais son côté robuste, la manière directe dont il savait aborder et résoudre les problèmes.

Au maître d'hôtel qui entrait, il donna un ordre :

— Servez un cognac à M. Durtal, Le Gall, et fermez donc cette radio.

Il attendit que le matelot eût quitté le carré pour me tendre un papier :

— Je viens de recevoir ceci.

Le télégramme était chiffré. Un de ces télégrammes très secrets à n'être lus que par le commandant.

— Combien de temps vous faut-il pour le déchiffrer, Durtal ?

— Une heure environ.

— Pouvez-vous en venir à bout avant le déjeuner ?

— Bien sûr, commandant.

Je me levai.

— Ne partez sans avoir pris votre cognac.

Il tira une cigarette d'un paquet de « troupes » et je lui donnai du feu.

J'avais hâte de me retirer dans ma chambre et de me mettre au travail. Le Gall tardait à apporter le verre d'alcool.

Le commandant était d'humeur bavarde :

— Je suppose que, comme la plupart des « Oric », (1) vous vous destinerez à la Carrière ?

— Je suis sorti des Sciences Politiques en 38.

Le maître d'hôtel vint me présenter le verre de cognac. Je l'avalai d'un coup.

(1) Officier de réserve interprète et du chiffre.

— Quand vous aurez fini de déchiffrer ce télégramme, vous m'en apporterez aussitôt le texte.

— Bien commandant.

Le vent coupant, la pluie et les paquets de mer eurent tôt fait de dissiper l'illusoire chaleur de l'alcool. Ce matin-là, je me serais cru plus volontiers dans l'Arctique qu'en Méditerranée.

Le roulis avait balayé mes livres de l'étagère où j'essayais de les garder en ordre. Tant bien que mal, les meubles restaient arrimés. Je ramassai les volumes épars et m'assis devant mon bureau.

Déchiffrer le long télégramme me prit du temps. L'heure du déjeuner était passée quand j'eus fini mon travail. Je relus le texte avant de le recopier.

« De Marine à aviso *La Joyeuse*. Urgent. Très secret. — Arraisonnez et visitez. S.S. *Amarante*, nationalité portugaise, en route d'Alexandrie à Gibraltar. *Stop*. Départ Alexandrie le 27 décembre à 10 heures OZ. Vitesse : 12 nœuds. *Stop*. Vous vous assurerez de la personne de Lucrezia Allegri, passagère italienne soupçonnée espionnage et trafic diamants industriels. *Stop*. Vous la prendrez à votre bord. Régime liberté surveillée. *Stop*. Ralliez ensuite Beyrouth où vous recevrez instructions. Mettez passagère au courant termes du présent message. »

Je retournai au carré.

— Ah ! vous voilà, Durtal... Vous avez le texte ? J'ai quelque remords de vous avoir privé de déjeuner. Le Gall va vous servir ici.

Il s'interrompit et tapota de la main ses cheveux déjà grisonnants qu'il portait coiffés à la brosse. Son geste trahissait une évidente perplexité. Il relut le télégramme et le relut encore avant de le glisser dans sa poche.

— J'ai à vous parler. Mais asseyez-vous donc. Le Gall, vous avez gardé le déjeuner de M. Durtal au chaud, j'espère ?

— Je ne sais pas, commandant.

— Allez voir. Qu'on lui fasse une omelette, qu'on lui donne du jambon, ce qu'il désire... et mettez son couvert ici.

Le commandant avait allumé une de ses inévitables « troupes ».

7

— Vous êtes interprète, Durtal. Vous parlez italien, je le sais. Comment vous tirez-vous d'affaire avec le portugais ?

— Assez bien, commandant.

Il sourit d'un air presque détendu :

— Il est heureux que j'aie un polyglotte à bord. Combien de langues vous demande-t-on, aux Sciences Po ?

— Mon père était diplomate. Enfant, j'ai passé trois années au Portugal et davantage en Italie. Aux Sciences Po, j'ai choisi de préférence les langues latines.

— Mais vous parlez aussi anglais.

— Cela va de soi.

— Remarquable, dit le commandant en étouffant un soupir. Tout à fait remarquable. Eh bien ! Durtal, ces capacités peu banales me paraissent vous désigner sans contestation possible pour le rôle que ce télégramme nous impose.

— Me désigner, commandant ?...

Heureux d'avoir trouvé une solution satisfaisante, il avait tout à coup rajeuni.

— A vous d'aller cueillir l'espionne et de vous expliquer avec le commandant portugais. Vous êtes l'homme de la situation, mon cher.

Je n'éprouvais pour cette mission qui m'était dévolue qu'un enthousiasme modéré.

— A vos ordres, commandant.

Le maître d'hôtel mettait mon couvert sur la table du carré.

— Quand vous aurez déjeuné, nous reparlerons de cela. L'*Amarante* a donc quitté Alexandrie ce matin à 10 heures OZ.

Il tira le télégramme de sa poche et le relut. Tandis que je m'attablais et, trop secoué par la mer, ne faisais que peu d'honneur au repas qui m'était servi, le commandant se retira dans sa chambre. Au-dessus du bruit des vagues et de la rumeur sourde des machines, je l'entendis bouger. Il ouvrait un tiroir, feuilletait des livres et consultait des cartes. Il ne tarda pas à revenir vers moi.

— Déjà terminé ? Je reprendrais volontiers du café, Le Gall.

Quand le matelot fut parti, il s'assit de l'autre côté de la table.

— Nous aurons rejoint l'*Amarante* demain matin à l'aube. Vous prendrez la baleinière et trois hommes. Au bout de tant d'années d'hostilités, les neutres ont pris l'habitude de se montrer dociles. Vous n'aurez aucune difficulté à vous assurer de la demoiselle Lucrezia Allegri. Quel nom ravissant, Durtal ! Vous avez l'air de bouder la chance qui vous est donnée de rencontrer une espionne. Que dis-je ?... De l'arrêter au saut du lit... Jusqu'à demain, votre imagination peut se donner libre cours. Après, je crains que vos dons de diplomate ne soient mis à dure épreuve.

Je levai les yeux d'un air interrogateur ; il se détourna en grommelant :

— Nous sommes déjà à l'étroit sur ce bateau. Où allons-nous loger notre indésirable Italienne ? Arrêter un homme m'aurait mieux convenu.

Le café bu, je lui demandai la permission de me retirer. Pourquoi sa raillerie m'avait-elle à ce point troublé ? L'imagination que j'avais vive, jusqu'au moment de ma rencontre avec Lucrezia Allegri, allait en effet se donner libre cours.

Pour évoquer le visage et la personnalité d'une espionne, je n'avais recours qu'à des impressions adolescentes et à de trompeuses intuitions. Qu'une Italienne travaillât pour le compte des Allemands, quand nombre de ses compatriotes se battaient encore à leurs côtés, n'était pas pour me surprendre. Enfin, je cessai d'épiloguer sur les circonstances qui m'avaient valu cette désagréable mission.

Le temps me parut long jusqu'au lendemain matin. A six heures et demie, nous arrivâmes en vue du S.S. *Amarante*. Par signaux lumineux, la *Joyeuse* lui intima l'ordre de s'arrêter. Bateau neutre, battant pavillon portugais, l'*Amarante,* dans l'aube glacée, sur l'eau noire que traversaient les crêtes blanches des vagues, avait, tous feux allumés, nom éclairé, l'éclat d'une autre époque, la couleur heureuse de nos souvenirs.

— Il s'est arrêté, dit à mon côté l'officier en second. Joli temps, ma foi, pour une expédition de cette sorte.

Avant de mettre la baleinière à l'eau, la *Joyeuse* fit le

9

tour du bateau portugais. La mer était grosse et l'opération, qui n'allait pas sans difficulté, fut menée à bien. Jugulaire au menton, armé comme mes compagnons, je fus le dernier à monter dans l'embarcation. Ainsi, dans les premières lueurs du jour, je m'avançais vers un bâtiment étranger pour y arrêter une femme. Il faisait froid. Les lames nous secouaient. De l'*Amarante* comme de notre aviso, il me semblait que tous les regards étaient tournés vers moi. Je m'obligeai à penser en portugais, langue que je connaissais bien, mais qui m'était moins familière que l'italien. Ce paquebot — un assez vieux bateau que le Portugal avait acheté aux Etats-Unis au début des hostilités — arrivait de Goa et faisait route vers Lisbonne. Le commandant d'Harleville s'était étonné qu'en période de guerre mondiale on l'eût autorisé à traverser le canal de Suez.

La baleinière vint accoster l'*Amarante*. Je fus le premier à me servir de l'échelle du pilote pour monter à bord. Sur le pont, un officier m'accueillit.

— Veuillez me conduire chez le commandant.

Avant de le suivre, j'attendis que mon escorte de trois hommes m'eût rejoint. Nous avions le revolver à la main. Personne ne semblait devoir nous opposer de résistance.

L'officier me précéda. Malgré l'arrêt du bateau, les passagers dormaient encore. Nous n'en croisâmes aucun. Le mal de mer avait sans doute abattu le plus grand nombre d'entre eux.

J'arrêtai mes matelots devant la porte du commandant. J'entrai seul.

— Vraiment, monsieur, dit le Portugais dans un français sans faute, de tels procédés sont inqualifiables.

C'était un grand et bel homme, aux traits puissants, aux cheveux clairs. Ses mains étaient couvertes de poils roux.

— Ordre de mon gouvernement.

Il me regarda d'un air étonné. Négligeant l'avantage qu'il me donnait avec tant de superbe, je lui avais répondu dans sa langue. Je fis un pas en avant et je me présentai :

— Thibaut Durtal...

— Posez donc ce revolver.

10

La situation avait quelque chose d'outré et de ridicule. J'en avais vivement conscience. Alors que je m'efforçais de parler portugais, le commandant s'obstinait à me répondre dans ma langue. Ce Fontenoy linguistique, où nous ne risquions pas la fortune de nos armes, menaçait de s'éterniser.

— Que me voulez-vous, monsieur Durtal ? Ou, plutôt, que me veut votre gouvernement ?

L'ironie — forme d'esprit très française — ne lui était pas étrangère. Cet homme trapu et roux, aux traits massifs, échappé, eût-on dit, d'un tryptique de Nuno Gonçalves, démentait le portrait conventionnel du Portugais : ni taille courte, ni teint olivâtre, ni moustaches noires.

— Veuillez me communiquer la liste de vos passagers.

Deux yeux jaunes sous les épais sourcils me dévisagèrent avec colère. Le commandant de l'*Amarante* se jeta en avant comme s'il allait me prendre à la gorge. Je tins bon. J'étais résolu autant que lui, et plus fort sans doute, moi le combattant, devant lui, le neutre. De mauvaise grâce, en pestant, il obéit à ma requête et me tendit plusieurs feuilles dactylographiées. Comme j'aurais pu m'y attendre, après tant de mois de guerre, pour vieux et peu confortable que fût ce paquebot, une foule de civils l'encombrait.

— Vous venez de Goa et vous faites route vers Lisbonne ?

— C'est exact.

Sur la liste des passagers de première classe à la deuxième page, je trouvai le nom que je cherchais.

— J'ai ordre d'arrêter la signorina Lucrezia Allegri. Conduisez-moi à la cabine qu'elle occupe, je vous prie.

Le commandant retint un juron :

— Lucrezia Allegri !... Vous ne pouvez pas arrêter cette jeune fille.

Son visage tanné trahissait plus de consternation que de colère.

— Et pourquoi donc, commandant ?

— Je ne sais de quels crimes votre gouvernement l'accuse, mais elle est innocente. Voyons, il suffit de la regarder. Je crois à l'apparence, Monsieur. Jolie, oui,

11

bien sûr, Lucrezia Allegri est jolie, mais elle est beaucoup mieux que cela. Une telle pureté, — j'emploie le mot à dessein, — une pareille fraîcheur, ne peuvent tromper un vieux pêcheur de mon espèce.

— Soyez certain, commandant, que nous lui rendrons sa liberté aussitôt que sera faite la preuve de son innocence.

— Vous persistez dans votre volonté de l'appréhender ?

— J'obéis aux ordres que j'ai reçus, commandant.

Il me regarda avec rage et le ton de sa voix s'éleva :

— Je déplore ces ordres, m'entendez-vous ?

Je ne répondis pas. Après quelques instants, je dis calmement :

— Je suppose que d'autres passagères partagent la cabine de la signorina Allegri ?

— Deux autres femmes, il me semble.

— Toutes trois se sont embarquées à Goa ?

Le commandant fit signe que oui.

— Cette prise de contact a suffisamment duré. Veuillez me faire conduire à la cabine... — je regardai la liste — cabine 47, sur le pont B.

Il ne bougea pas. Je tenais toujours le revolver à la main.

— Mes hommes attendent derrière cette porte, commandant. Notre chef va commencer à s'impatienter.

Le Portugais se leva d'une détente imprévue. Autre surprise : ce torse aurait dû appartenir à une stature de géant, et, debout, l'homme qui me dévisageait avec fureur ne m'atteignait pas à l'épaule.

— Très bien, dit-il. Vous pourrez dire que j'ai cédé à la force.

— Je ne manquerai pas de préciser ce détail.

Il ne releva pas l'ironie. D'un index vigoureux, il avait appuyé sur le bouton d'une sonnette. Au steward qui se présentait, il dit seulement :

— Faites venir le commissaire et qu'il se dépêche.

Il ne put s'empêcher de grommeler en se tournant vers moi :

— Voyage infect. Tous les ennuis depuis le départ de Goa. Comble de malchance, on m'a affublé d'un commissaire qui souffre du mal de mer. On le trouve plus souvent dans son lit qu'en train de s'occuper du relatif bien-être des passagers.

Du mieux que je pus, je compatis à ses difficultés.

— Avez-vous eu mauvais temps ?

— La traversée de l'océan Indien n'avait rien d'une promenade sentimentale. Les Anglais m'ont créé des difficultés sans nombre dans le canal de Suez. Depuis que nous sommes en Méditerranée, nous connaissons un répit relatif. Nous n'avons qu'un médecin à bord et des passagers empilés partout. J'avoue que je saluerai avec plaisir la tour de Belem et la place du Commerce.

Enfin, le commissaire se présenta.

— Ah ! vous voilà, vous ! dit le commandant, sans aménité. Conduisez Monsieur que voici auprès de la signorina Lucrezia Allegri.

— La signorina Allegri ?

Assoupi, il était peu disposé à reprendre pied dans la réalité de ce bateau bondé et mal équilibré qui, non content de rouler et de tanguer, s'amusait à faire la casserole.

Je dis d'une voix ferme :

— Cabine 47. Pont B. Assez tergiversé, je vous prie.

En parlant portugais, je m'étais assuré un certain avantage.

— Je vous verrai tout à l'heure, commandant. Si vous le désirez, j'interrogerai la signorina Allegri devant vous. Vous retrouverai-je ici ?

— Je vous attendrai dans la salle à manger des premières. Le commissaire vous y conduira.

Ainsi, suivi par mes trois matelots armés, je partis vers le pont B. Quand un mouvement plus profond de la lame nous envoyait contre la rampe de cuivre, le long des couloirs, ou nous immobilisait sur les marches, le commissaire, qui avait aussi peu le pied que l'estomac marin, se cognait et devait se retenir pour ne pas tomber de tout son long. A un hublot contre lequel giclait la vague, il jeta un regard malade ; il n'avait pas ouvert la bouche depuis que nous avions quitté la chambre du commandant.

— Le pont B ?

Il me fit un signe de la main en tapotant d'un geste angoissé un mouchoir souillé contre sa bouche.

Je l'obligeai à marcher de l'avant.

— Vous frapperez à la porte. Vous êtes prié de ne pas la refermer.

Déjà, quelques passagers faisaient la queue devant les toilettes et les douches. Ils nous virent passer ; l'étonnement et la peur emplirent leurs yeux. Leurs visages étaient noirs ou jaunes. Certains venaient de Timor, de Macao ou des Indes, d'autres du Mozambique ou de l'Angola. Chaque colonie qui subsiste encore de l'ancien empire portugais était ici représentée. Les pasagers européens formaient sans doute la minorité.

Nous nous arrêtâmes devant la plaque de cuivre qui portait le numéro 47. J'avais hâte d'en avoir fini avec cette corvée et, la mission achevée, de me retrouver à bord de la *Joyeuse*.

Je poussai le commissaire devant moi :

— Frappez, entrez et n'oubliez pas de laisser la porte ouverte.

Il n'y eut d'abord aucune réponse. Une voix profonde, une voix de femme, dit en portugais :

— Qu'est-ce que c'est ?

— Ouvrez.

Un visage indien apparut dans l'entrebâillement de la porte. Le signe rouge des épouses entre les sourcils, la femme était vêtue du sari chiffonné dans lequel elle avait dormi. Une petite croix d'or marquait sa poitrine. Ce n'était pas une Indienne de Goa, dont les ancêtres avaient été convertis au catholicisme par Saint François-Xavier, que j'étais venu chercher.

— La signora Allegri ?

— Elle est encore couchée, dit l'Indienne.

— Qu'elle se lève... On la demande.

Le commissaire, qui oubliait de tapoter ses lèvres, se tourna vers moi :

— La signorina Allegri est italienne. Elle ne comprend pas le portugais et je ne parle pas l'italien. Adressez-vous à elle en français. Vous avez plus de chance d'être écouté.

Mes instructions m'obligeaient à fouiller la cabine. Trois femmes l'occupaient et la besogne dépassait mes forces. Devais-je pénétrer dans cette chambre étroite avant que Lucrezia Allegri fût prévenue de notre arrivée

14

pour empêcher qu'elle fît disparaître des documents compromettants ou qu'elle attentât à ses jours ? Je décidai d'attendre qu'elle se fût montrée à la porte. Une voix fraîche, une voix étonnée, dit :

— Qui me demande ?

Je poussai mon revolver contre les côtes du Portugais et je l'obligeai à répondre :

— Le commissaire.

La voix dit en français, avec un accent italien assez prononcé, mais qui ne manquait pas de charme :

— Un instant, monsieur, le temps d'enfiler une robe de chambre.

Je suis sensible à la qualité d'une voix et celle-ci avait la douceur et l'éclat d'une eau vive. Elle ne vous faisait pas violence, elle ne réclamait pas l'attention. Avant même d'avoir jeté le regard sur Lucrezia, séduit et comme libéré par sa grâce, je sus qu'elle allait m'apporter, non pas une excitation et une flamme, mais une sorte de rafraîchissement de l'esprit et du cœur.

La coursive était sombre. Trop faibles et espacées, les lampes électriques donnaient une mauvaise lumière. Je me surpris à guetter cette porte avec espérance, avec impatience. Oubliant ma mission, mon escorte et mes armes, je redevins un homme jeune qu'une voix féminine avait arrêté et retenu.

L'inconnue poussa la porte toute grande et souleva le rideau de chintz qui la masquait.

— Vous désirez me parler, monsieur le commissaire ?

Et, tout à coup, elle leva les yeux et me vit. Son regard rencontra le mien. A cause de ce regard, je sus que, quoi qh'elle fît, je ne pourrais jamais lui garder rancune.

Elle appuya la main contre le chambranle et dit :

— Qui êtes-vous ? Que me voulez-vous ?

Elle paraissait plus étonnée que craintive.

Sous la lumière avare, je distinguais mal son visage.

Je me présentai :

— Thibaut Durtal, de l'aviso *La Joyeuse*. J'exécute les ordres de mon gouvernement en vous demandant de bien vouloir faire vos bagages. J'ai charge de vous emmener à bord.

Elle secoua la tête avec un sourire étonné et très doux :

— Il ne peut s'agir que d'une erreur. Pourquoi le

gouvernement français s'intéresserait-il à moi ? Je suis italienne, bien sûr, mais je vous assure que ma vie est sans histoire et mon passé sans secrets.

Nous parlions italien. Le commissaire ne faisait montre d'aucune curiosité. Mes matelots gardaient des visages impassibles. Pourtant, la signorina Allegri ramena plus étroitement le col de son peignoir contre sa gorge. Elle portait un collier barbare très lourd et qui me parut d'un goût détestable et, aux poignets, des bracelets semblables qui achevaient la parure.

— Vous vous appelez bien Lucrezia Allegri ?

— Oui.

— Je vous serais reconnaissant de faire vos bagages. Pardonnez-moi s'il me faut insister pour ne pas vous perdre de vue. Mes instructions sur ce point sont précises. J'essaierai de ne pas vous rendre ma présence trop odieuse.

Elle avait pâli. Elle cessa de se défendre. Les mots qu'elle laissa échapper me touchèrent :

— Je ne puis vous résister, monsieur. Dans l'ignorance où je suis des agissements que vous me reprochez, ma complète innocence sera ma défense la meilleure.

Il n'y avait aucune affectation dans ces paroles dont je mesurais la dignité et la noblesse. J'eus hâte de la voir mieux, en pleine lumière.

— J'insiste pour que vous ne perdiez pas de temps. La pénible mission dont on m'a chargé retarde l'*Amarante*.

Sans répondre, elle se tourna vers l'intérieur de la cabine. Je m'excusai de devoir l'y suivre. Les deux Indiennes qui partageaient la chambre, pour nous faire de la place, s'étaient allongées sur leur couchettes respectives. Elles nous suivaient des yeux et, à chaque instant, je sentais sur moi leur long regard humide. J'en éprouvais un singulier malaise comme si deux bêtes captives me surveillaient, guettant le moment de l'attaque.

Lucrezia Allegri tira une valise poussée sous la couchette. Elle portait un déshabillé classique en soie unie bleu marine, aux manches courtes, trop larges pour ses poignets. Les lourds bracelets devaient gêner ses mouvements, car elle ne cessait de les toucher et de les remonter sur ses avant-bras. Elle ne manifesta aucune mauvaise humeur. Avec précision, à grand renfort de

16

papier de soie, en voyageuse aguerrie, elle fit ses valises. Elle avait peu de bagages. Les robes qu'elle pliait étaient simples et de bonne qualité. Le linge était beau, les chaussures soignées. Les objets de ce trousseau éveillaient en moi une émotion bizarre. J'avais vingt-huit ans et j'avais vécu loin des femmes. Ma mère était morte, ma sœur était mariée depuis longtemps. Ces vêtements étalés et rangés devant moi étaient imprégnés d'un très léger parfum. Leur recherche même était sobre et trahissait l'élégance sans apprêt que confère la vraie distinction. Pourquoi portait-elle cette vilaine parure aux cabochons brunâtres sertis dans une monture en argent digne des souks afghans ou irakiens ? J'avais oublié qu'on accusait Lucrezia Allegri d'espionnage. Peut-être ses valises étaient-elles à double fond ? Je n'y vis aucune trace de diamants industriels.

Elle se redressa :

— Pourriez-vous sortir un instant ou tout au moins vous retourner pour me laisser m'habiller ?

Sa voix était persuasive. Je rencontrai son regard. Elle me parut aussi belle que la simplicité. Elle avait un ovale délicat, des traits d'une grande finesse, une peau très blanche. Ses yeux bruns, du même châtain que ses cheveux, étaient pleins de gravité et de douceur. Pour parler d'elle les mots me manquent. Je comprenais le Portugais : « Vous ne pouvez pas arrêter Lucrezia Allegri... » Derrière dix portes de prison, au fond du cachot le plus inaccessible, devant cent juges, personne, je le crois fermement, n'a le pouvoir d'arrêter Lucrezia Allegri. Son regard semblait dire que nul indiscret ne pénétrerait jamais dans le jardin clos de sa pensée et de son cœur.

Elle eut un léger sourire. Je me sentis absous comme si elle avait eu le pouvoir de remettre les péchés.

— Tournez-vous, je vous prie. Le temps d'enfiler mes vêtements.

Elle découvrit ses dents dans un sourire plus accusé. Elles étaient mal plantées, écartées et peu jolies. Je pensai alors que, tels ces pieux Orientaux qui font volontairement une faute en achevant le plus réussi de leurs tapis, parce que seul Allah est parfait, la beauté fraîche et charmante de ce visage avait un défaut, et il me fut plus cher pour cela.

17

II

Je la priai de me précéder le long des coursives étroites. Un steward, appelé par le commissaire, portait ses
valises. Machines arrêtées, le bâtiment était agité par un
mauvais roulis. Ma prisonnière était de taille moyenne,
mais d'une ossature délicate qui la faisait paraître plus
élancée et plus grande qu'elle n'était en réalité. Au pied
de l'échelle qui menait au pont supérieur, alors que le
commissaire se retenait désespérément à la rampe, bien
campée sur ses hauts talons, elle se tourna vers moi :
— Notre guide est épuisé par le mal de mer. Où
voulez-vous que je vous conduise ?
Encore une fois, il n'y avait ni défi ni arrogance dans
son attitude. On eût dit que la situation lui paraissait plaisante. En vérité, oui, je crois qu'elle s'amusait.
Ses cheveux bruns étaient tirés en arrière et comme
noués dans un fichu. Cette coiffure haute dégageait son
visage.
Le dessin noble de son profil, la ligne gracieuse de son
cou que l'affreux collier ne parvenait pas à détruire, me
firent penser à un Pisanello... *La Princesse de Trébizonde*, peut-être, mais en plus jeune, en plus audacieux.
Auprès de Lucrezia Allegri, j'eus toujours le sentiment
qu'elle appartenait à une autre époque, à un autre
temps de l'histoire des hommes.

— Le commandant nous attend dans la salle à manger des premières classes. C'est fort aimable à vous de consentir à m'y mener.

Elle eut un petit rire. J'avais tout attendu de mon espionne, mais non pas qu'elle se mît à rire. Elle respirait l'intelligence et la vivacité. En jugeant le danger qu'elle courait, elle avait mesuré les chances d'y échapper et de sortir réhabilitée de l'éppreuve. J'étais conquis, séduit, gagné à sa cause.

— Nous y voici...

Elle poussa le battant vitré d'une porte et se retourna vers moi :

— Ne pouvez-vous demander à vos hommes de nous attendre ici ? La plupart des passagers me connaissent. C'est l'heure du petit déjeuner. Vous regretterez un jour de m'avoir traitée comme une criminelle.

Son regard était suppliant. Déjà, je ne parvenais plus à lui résister.

— Si vous n'accueillez pas favorablement ma prière, ces gens qui m'ont aimablement reçue et entourée vont se sentir humiliés et frustrés. Ils se reprocheront d'avoir témoigné de l'amitié à un personnage douteux. Ils feront le compte de tout ce qu'ils m'ont dit, de tous les gestes aimables qu'ils ont eus. Leur confiance sera ébranlée jusque dans ses racines. Ce n'est pas cela que vous désirez, n'est-ce pas ?

Son appel était émouvant, son regard cherchait à me convaincre et à me plaire. Elle dit encore :

— Vous voyez bien que je ne puis pas m'enfuir. D'ailleurs, ne resterez-vous pas auprès de moi ?

— Soit...

Je donnai aux trois matelots l'ordre de m'attendre à la porte de la salle à manger. Lucrezia Allegri ne me remercia pas. Elle dit avec une tranquille assurance, un air de gaîté qui n'était pas affecté :

— Vous verrez... D'ici très peu de jours, vous regretterez de m'avoir appréhendée. Vous aurez la preuve de mon innocence. Je vous suis, j'accepte de perdre ma réputation et je ne sais même pas de quel crime vous m'accusez.

— Le commandant de la *Joyeuse* vous verra dès votre arrivée à bord. Nous sommes des marins, des soldats.

Notre pays est en guerre. Nous ne pouvons qu'obéir sans discuter et respecter les ordres reçus.

Elle n'essaya plus de me parler et de me convaincre. D'un pas glissant, comme si le plancher ne paraissait pas s'enfoncer sous nos pieds ma prisonnière traversa toute la longueur de la salle à manger, hésita et aperçut le commandant. Assis à sa table, il faisait honneur à un copieux petit déjeuner à la portugaise.

Il se leva en la voyant et nous fit signe d'approcher. Une fois encore, sa petite taille me surprit.

— Senhora dona Lucrezia...

Il avait trouvé ce moyen discret pour nous recevoir et nous entendre sans attirer sur Lucrezia l'attention des autres passagers.

— Ne partagerez-vous pas mon déjeuner ?

— On nous attend à bord, commandant. Si la signorina Allegri désire prendre quelque chose, je lui demanderai de se hâter.

— Du café me ferait plaisir.

De la main, le commandant appela le serveur — un nègre du Mozambique — qui apporta une tasse et y versa le café fumant.

— Vous n'avez donc pas changé d'avis, monsieur Durtal ? Vous ne vous êtes pas rendu à mes raisons et reconnu votre erreur ?

Je me contentai d'esquisser un geste aussi éloquent que possible.

— C'est la guerre, commandant.

La jeune fille dit d'un air enjoué :

— Ne prenez pas ma défense, commandant. Vous êtes croyant et je le suis aussi. Cela nous donne beaucoup de force. Rien de mal ne peut m'atteindre. Peut-être est-ce pour ma protection et ma sauvegarde que M. Durtal m'arrête au nom de son gouvernement. Dans quelques jours, dans quelques mois, en pensant à cet épisode fâcheux, je dirai sans doute : « Merci, mon Dieu, l'erreur était heureuse. »

Etre auprès d'elle, c'était mieux que boire à la source pour étancher sa soif, c'était une purification. Quel plaisantin avait pu envoyer ce télégramme et quel ennemi de toute honnêteté s'attaquer à cette innocente ? Prêt à partager le jugement du commandant, je refusais de croire à la culpabilité de Lucrezia Allegri. Aussitôt, je me reprochai ma faiblesse : il ne m'appartenait pas d'accepter ou de rejeter les décisions prises en haut lieu. On me demandait d'obéir sans discuter. Aux autres, le jugement et la compréhension ; à moi, l'exécution.

— Vous prenez les choses avec philosophie, dona Lucrezia, dit le commandant d'un air vexé.

Elle baissa le front et parut chasser un souvenir pénible. Quand elle se redressa, sérénité retrouvée, elle évoqua de nouveau pour moi ce portrait de la fresque de Pisanello qu'on appelle *La Princesse de Trébizonde.*

— En traversant le Pundjab, j'ai failli être victime d'un attentat. A bord d'un bateau de guerre français, je me sentirai mieux protégée que sur ce paquebot...

Comme une enfant craintive qui redoute chaque soir le retour de la nuit, elle dit :

— Mes compagnes sont aimables. Je ne devrais pas souffrir de partager leur cabine. Pourtant, je ne parviens plus à dominer ma frayeur. Leurs yeux, leurs mains, m'épouvantent. Sur l'*Amarante,* je n'ai pas connu une heure de paisible sommeil. Prisonnière, je serai délivrée de ces peurs. Je n'aurai pas deux Indiennes à mon chevet.

— Quelles peurs ?

Sourcils froncés, expression durcie, le commandant cherchait à comprendre.

— Il est trop tard maintenant. Que vouliez-vous, monsieur ?

— Faites devant le commandant la preuve de votre identité. Dites-moi aussi d'où vous venez, où vous alliez et la raison de ce voyage. Après que j'aurai examiné vos papiers, je signerai un procès-verbal.

— De mon arrestation ?

Je souris :

— C'est un bien grand mot. Vous serez en liberté sur la *Joyeuse.*

Elle sourit sans amertume. Elle portait un tailleur gris et un chemisier blanc. Elle avait posé auprès d'elle ses gants gris et son sac. Ses mains, où le dessin des veines affleurait sous la peau, étaient belles et sans fragilité. Ses ongles étaient polis et non vernis. Encore une fois, à remarquer ces petits détails, je m'étonnai qu'on pût la soupçonner d'espionnage et de trafic.

Elle me tendit un passeport italien :

— Si vous désirez vérifier mon identité, voici mes papiers.

J'y jetai un regard sans curiosité. Que m'importait de savoir que Lucrezia Allegri était née le 29 juillet 1919 à Rome ? Elle avait donc vingt-cinq ans, trois ans de moins que moi.

— Vous habitez Rome ?

— Oui... place d'Espagne.

— Agréable adresse.

Elle se retourna vers moi dans un mouvement plein d'enthousiasme.

— N'est-ce pas ?... Là surtout, au coin de la Via Condotti, devant les marchands de fleurs et la magnifique envolée des escaliers de la Trinité-des-Monts. De mes fenêtres, j'aperçois les toits de la villa Medicis... Aimez-vous Rome, vous aussi ?

— Beaucoup.

J'aurais pu dire au commandant, avec autant de politesse que de sincérité : « J'aime également beaucoup Lisbonne. »

— Quand avez-vous quitté Rome ?

— Il y a près de quatre mois.

— Quels étaient le but et la raison de ce voyage ?

Pour la première fois, la jeune fille trahit de l'hésitation. Je la vis se troubler et chercher sa réponse.

— Cette question est-elle bien nécessaire ?

— Indispensable, je le crains.

Elle avait ramassé ses gants et les tournait et les lissait dans un geste embarrassé.

— Le secret de ce voyage n'est pas le mien. Laissez-moi un peu de répit. Je répondrai au commandant de la *Joyeuse* s'il juge bon de m'interroger. Quels que soient ses griefs, mes chances de lui échapper sont minces.

Ce fut à mon tour d'hésiter. Je craignis d'outrepasser mes instructions. Lucrezia Allegri avait raison de le souligner : elle ne s'enfuirait pas de l'aviso et le commandant d'Harleville aurait plus de pouvoir de persuasion que moi.

— Et le but de votre voyage ?

— L'Afghanistan. Je suis allée jusqu'à Kaboul. Je ne retins pas un sifflement admiratif :

— Peste ! Et cela en pleine guerre. Le déplacement devait en valoir la peine. Comment y êtes-vous parvenue ? Elle but le café au lait et reposa la tasse.

— Par les chemins habituels. La grande difficulté a été de trouver un bateau qui voulût bien m'emmener jusqu'à Goa.

Elle s'essuyait la bouche d'un air distrait. Sans doute se rappelait-elle les péripéties d'un voyage dont elle n'avait pas oublié les épreuves et les maux.

— Pourquoi Goa ?

— A Karachi comme à Bombay, les Britanniques contrôlent tous les mouvements du port. On m'aurait posé beaucoup de questions.

— Pourquoi craigniez-vous d'y répondre ?

Elle eut une petite moue, un sourire hésitant. Je me heurtais à quelque mystère qui expliquait la suspicion dont Lucrezia Allegri était l'objet.

— Je ne craignais pas d'y répondre. Je redoutais seulement que, dans un univers en guerre, on ne m'interdît de poursuivre mon odyssée.

Ce fut à mon tour d'hésiter :

— Raisons sentimentales ?

Elle se mit à rire :

— Qu'allez-vous chercher là ?

L'évidente sincérité de sa réponse me procura un soulagement éphémère.

— Avez-vous atteint le but que vous vous étiez proposé ?

— Dieu merci, oui... De Goa, j'ai pu prendre le train jusqu'à Peshawar, à la frontière de l'Afghanistan ; j'ai franchi la passe de Khaïber pour achever du côté afghan cet interminable voyage en chemin de fer.

Je la regardai avec admiration : malgré la délicatesse de son apparence, il lui avait fallu une force peu commune pour entreprendre un semblable déplacement.

Je laissai passer quelques instants avant de terminer mon interrogatoire :

— Et maintenant, où allez-vous ?

Elle eut un rire sans amertume :

— Il vous appartient de répondre à cette question. A bord de votre aviso, n'est-il pas vrai ?

Le commandant d'Harleville s'était moqué de moi en louant mes qualités de diplomate. Lucrezia Allegri avait la subtilité et la rapidité de sa race. Je regrettai de m'être laissé surprendre.

— J'aurais dû dire : où alliez-vous quand j'ai interrompu votre voyage ?

— A Lisbonne. De Lisbonne, j'aurais pris le train pour traverser l'Espagne. A Barcelone, j'aurais trouvé sans trop de difficulté un bateau qui m'eût ramenée en Italie.

Lisbonne, pendant les années de guerre, était un grand centre d'espionnage. Ma prisonnière aurait pu rendre compte de sa mission à un correspondant italien ou allemand et, les mains et le cœur libres, regagner sa Rome natale. Mais, quand je croisai son regard, la certitude de sa culpabilité fut aussitôt ébranlée.

Je ne savais pas que je commençais, dès le premier instant de notre rencontre, un singulier, un douloureux combat contre les apparences.

Si l'on avait exigé de moi un jugement à l'issue de cette prise de contact, j'aurais dit sans hésiter : « Lucrezia Allegri ? La plus exquise, la plus pure des jeunes filles... » Dans cet univers harassé et hagard, où les valeurs ont perdu leur importance, où l'on ne peut prononcer le mot pureté sans gêne, j'aurais crié à la face de tous : « Lucrezia Allegri est virginale, Lucrezia Allegri est l'honneur même. »

Je m'inclinai :

— Il est temps que nous partions. Voulez-vous me suivre ? Mes respects, commandant...

Le visage du Portugais s'empourpra :

— Un instant... Vous emmenez ma passagère et je ne puis m'y opposer. Signez-moi ce papier. La responsabilité d'un acte que je déplore appartient à votre gouvernement. Déchargez-m'en aux yeux du mien.

Je lus la feuille qu'il me tendait, je la signai et la lui rendis.

— Voici pour vous, dona Lucrezia.

Le sourire de la jeune fille manqua de fermeté.

— Je ne comprends pas le portugais. J'espère que

vous ne faites pas état des accusations mensongères que l'on a pu porter contre moi ?

Je m'offris à lui traduire les quelques lignes que le commandant avait dictées. Elle m'écouta attentivement. Quand elle se tourna vers moi, sa confiance me toucha :

— Estimez-vous que je puisse signer cette décharge ?

— Elle n'entache pas votre réputation.

Lucrezia Allegri sourit bravement et prit le stylo que je lui tendais. Elle apposa sa signature sur la feuille de papier, rendit la plume, ramassa ses gants, son sac et se leva.

— Il me reste à vous remercier de vos bontés, commandant. Je regrette que vous n'ayez pu me conduire à bon port. Il appartiendra aux Français de me rapatrier.

Elle prit congé avec gentillesse et me précéda vers la porte, à travers la grande salle à manger dont tout luxe avait disparu.

Le commandant, cachait mal son émotion. Je donnai un ordre à mes matelots et conduisis ma prisonnière vers le pont supérieur.

A l'extérieur, le jour nous surprit. Le matin d'hiver avait la couleur de l'eau ; les blanches lueurs des vagues traversaient le gris taupe de la mer.

— N'aurez-vous pas froid ?

— J'ai laissé mon manteau avec les valises. Le steward attendait près de vos hommes.

Elle souriait.

Parce qu'elle n'avait rien de banal ou de facile, elle n'était semblable à personne.

Je demandai à mes matelots s'ils avaient veillé sur les bagages de notre passagère. Un quartier-maître me dit :

— Ils sont déjà dans la baleinière, lieutenant.

— Et le manteau ?

— Il est avec les valises.

Un autre problème se posait : Lucrezia Allegri parviendrait-elle à descendre par l'échelle de pilote ? Malgré moi, je regardai ses fins escarpins à haut talon.

— Que craignez-vous ?

Son intuition ne semblait jamais en défaut.

— Que vous n'ayez de grandes difficultés à descendre par l'échelle de pilote.

Elle se pencha par-dessus le bastingage et eut un mouvement de recul.

— Mes hommes tiendront l'échelle. Vous n'aurez pas ce sentiment d'instabilité. Capelez d'abord cette brassière de sauvetage. Vous vous arrêterez sur la marche que je vous indiquerai et vous ne monterez dans la baleinière que lorsque je vous le dirai.

— Je n'ai pas peur.

Sincère ou pas, je l'admirai de faire front.

Deux de mes hommes descendirent d'abord.

— A vous, maintenant.

Je m'approchai pour l'aider et voulus lui prendre le bras. Elle eut un mouvement de défense qui me laissa interdit.

Elle descendit le long de la coque, essaya les marches de la pointe de son soulier, me regarda, m'obéit. De l'embarcation, un matelot maintenait l'échelle d'une manière aussi stable que le permettaient les mouvements du vent et de la mer. Lucrezia Allegri prit enfin pied dans la baleinière et j'éprouvai un réel soulagement. Elle leva la tête et sourit, comme pour me rassurer, fière d'avoir vaincu ses craintes et d'avoir mené à bien la descente difficile. Avant de s'asseoir, elle mit sur ses épaules le manteau qu'un matelot lui tendait.

Je dis, en me penchant vers elle :

— Triste ?

Elle secoua la tête.

— Je n'ai jamais connu la méchanceté ni souffert de l'envie. Tout ce qui m'est nécessaire m'a toujours été donné. Pourquoi serais-je triste ?

Ce fut à mon tour de rester sans réponse. J'aurais voulu la rassurer, mais elle n'avait aucun besoin d'être rassurée. Au contraire, — et je commençais à comprendre les paroles et l'attitude du commandant de l'*Amarante,* — sa présence m'apportait un parfait bien-être.

Je souhaitai qu'il n'y eût personne sur le pont de la *Joyeuse* quand nous accostâmes. J'étais prêt à maudire la curiosité de mes camarades, que la mienne avait de beaucoup dépassée. Sans même lui effleurer la main, j'aidai ma prisonnière à monter à bord de l'aviso.

Ce mot de prisonnière me paraît entaché d'ironie. La liberté de Lucrezia Allegri était alors une réalité indiscutable. En suis-je aussi certain, à présent que je l'ai vue vivre, obéir et se laisser corrompre ?

Arrivée sur le pont, elle hésita. Elle tourna les yeux de mon côté, comme si, de moi seul, elle eût pu attendre une aide. Elle venait de comprendre ce que cela signifiait d'être seule femme sur un navire de guerre, seule de sa nationalité au milieu de Français, ennemis de la veille. J'admirai qu'elle fît si bon visage.

— Venez. Le commandant nous attend.

Cette fois-ci, ce fut moi qui la précédai sur le pont glissant et les raides échelles. Elle enleva la brassière de sauvetage et enfila son manteau trop léger ; elle arrivait des Indes où novembre n'est pas glacé, de l'Afghanistan où elle avait souffert de l'inconfort et du froid. Elle n'était pas femme à se plaindre des intempéries.

Dans la coursive, je rencontrai Le Gall, le maître d'hôtel.

— Le commandant est-il là ?

— Oui.

Il m'attendait, ou plutôt il attendait mon retour et l'arrivée de notre espionne. Quand j'entrai dans son carré, il nous tournait le dos. Lucrezia Allegri resta debout à mon côté. Elle avait ôté le fichu qui cachait ses cheveux châtains, dont je devinais l'abondante souplesse. Sa coiffure était sévère. En la voyant de profil, de nouveau j'évoquai Pisanello et la *Princesse de Trébizonde*.

— Vous voilà enfin de retour, Durtal.

— Oui, commandant.

Il se retourna vers nous. Le sourire un peu ironique, un peu las, qu'il avait aux lèvres, s'effaça aussitôt. Il ne put détacher son regard du pâle et pur visage de Lucrezia Allegri. Moins surpris par sa beauté que par son innocence, il devait se dire : « Une de mes filles, dans quelques années, aura peut-être ce visage sans mensonge, cette transparente simplicité. » S'il avait, lui aussi, rêvé au charme et à l'attrait d'une espionne, pas plus que moi il ne l'avait imaginée sans artifices ni affectation, nue et secrète comme l'est la pureté véritable.

— La signorina Lucrezia Allegri, commandant.

Qu'aurais-je pu ajouter ? Auprès d'elle, cependant, je me sentais à l'aise. De tous les êtres que j'ai rencontrés au monde, seule cette étrangère m'a donné le sentiment d'appartenir à la réalité.

— Asseyez-vous, dit le commandant d'Harleville. Je ne vous retiendrai que quelques instants. J'espère que ce court séjour à bord de la *Joyeuse* ne vous paraîtra pas trop désagréable. Nous n'avons pas les moyens de vous assurer un grand confort.

Il laissa sa phrase en suspens. Lucrezia inclina son beau front. Elle sourit comme s'il lui eût appartenu de dissiper un malaise et que les rôles eussent été renversés. D'une certaine façon, il me sembla, dès ce premier moment, que nous étions ses invités.

— Merci de vous soucier de cela, commandant. Je trouverai plus de repos à bord de votre bateau que dans le train qui me ramenait d'Afghanistan.

— Vous parlez français, et fort bien. J'en suis ravi. Je n'aurai pas besoin d'avoir recours à vos bons offices, Durtal. J'espère que ce jeune homme vous a traitée avec égard, mademoiselle ?

Une légère ironie marquait le regard bleu et l'accent du commandant.

— J'aurais mauvaise grâce à me plaindre.

Aux mouvements du bateau, aux bruits différents, je sentis que nous nous étions remis en route.

— Un navire de guerre n'est pas un paquebot. J'ai été obligé de vous loger dans l'infirmerie. Ce genre de cabine vous fera regretter celle de l'*Amarante*.

— Au moins, j'y serai seule, dit Lucrezia Allegri.

— N'en doutez pas.

— Prisonnière ?

— A peine. Vous serez au régime qu'il est convenu d'appeler « liberté surveillée ».

— Liberté surveillée...

Elle répéta les mots avec effroi.

— Liberté surveillée... Mais, enfin, que me reproche-t-on ?

Le commandant n'hésita pas longtemps. Il tira de sa poche la traduction du télégramme qu'il avait reçu la veille et y jeta un coup d'œil avant de le tendre à Lucrezia Allegri.

— Je ne connais que cet ordre. A vous de me donner les explications nécessaires.

La jeune fille lut le message et leva des yeux inquiets.

— Qu'est-ce que cela veut dire ? Cette accusation est insensée. Je ne suis pas une espionne.

Nous ne répondîmes pas.

— Bien sûr ! Si j'étais une espionne, je ne l'admettrais pas davantage. Je prétendrais ne m'être jamais livrée à aucune activité répréhensible. C'est cela que vous voulez dire, n'est-ce pas ?

— Je le suppose.

Elle manifesta quelque impatience. Aux abois, elle semblait mesurer pour la première fois le danger qui la menaçait.

— Que votre gouvernement se livre à une enquête à Rome. Ma famille n'a jamais aimé les Allemands. Nous avons été inquiétés, du temps de Mussolini, pour la tiédeur de nos sentiments fascistes. L'un de mes frères, il est vrai, a été tué à El-Alamein. Le plus jeune a disparu sous un bombardement des Alliés, mais qu'y pouvions-nous ? Devions-nous déserter ? Si souvent, j'ai entendu mon père proclamer que cette guerre était injuste et qu'il fallait payer pour nos erreurs et nos fautes. Nous avons payé, et chèrement. N'avons-nous pas acquis le droit à la paix ? Nous ne demandons que cela : des débris de notre prospérité et de notre bonheur, reconstruire pour les survivants une existence digne et acceptable.

Sa voix avait un grand accent de sincérité. Lucrezia Allegri possédait le don de m'émouvoir. Je ne pouvais pas davantage rester insensible à son charme que douter de son honnêteté. Pour ébranlé qu'il fût tout au fond de lui-même, le commandant d'Harleville refusa de se laisser prendre au jeu de l'innocence et de la pitié.

— Parlez-nous des diamants industriels.

Elle perdit pied.

— Je ne sais même pas de quoi il s'agit.

Le commandant passa la main sur ses cheveux taillés en brosse et alluma une « troupe ».

— Fumez-vous ?

Elle fit signe que non.

— Ce télégramme est pourtant fort précis. Je ne puis imaginer que le Deuxième Bureau, à Paris, se livre à d'aussi douteuses plaisanteries. S'il parle de diamants industriels, c'est donc qu'un trafic de ce genre existe et qu'on y a mêlé votre nom.

— Quel est l'usage d'un diamant industriel ?

Le commandant se mit à faire les cent pas dans l'étroit carré ; le sourire qu'il avait aux lèvres ne présageait rien de bon.

— Vous êtes très forte. Interroger pour se défendre est une tactique éprouvée. Dans la cinquième année d'une guerre qui semble ne devoir jamais finir, l'industrie allemande a besoin de diamants industriels et s'en trouve privée. Elle en achète à prix d'or. Des fraudeurs se chargent de lui en procurer. Beaucoup passent par l'Italie et franchissent les Alpes. Le trafic est très lucratif. La guerre serait abrégée d'autant, si l'on pouvait empêcher l'ennemi d'obtenir des diamants.

La jeune fille se redressa. Ses yeux avaient un éclat nouveau. A cet instant, j'eus le pressentiment de l'autre visage qu'elle cachait sous un grand air de simplicité. Un jour allait venir où la Lucrezia Allegri de notre première rencontre n'existerait plus que dans mon regret et dans mon souvenir.

— Pourquoi aurais-je procuré ces diamants aux Allemands ? Je les considère aussi comme mes ennemis.

Le commandant écrasa sa cigarette dans un cendrier en disant calmement :

— Expliquez-nous ce que vous avez été faire aux Indes et en Afghanistan.

III

Lucrezia Allegri redoutait cette question. Je la vis perdre contenance. Les yeux baissés, elle ne songeait plus à faire front, mais à gagner du temps et à donner le change. Le commandant attendit avec patience, puis il se tourna vers moi :

— Vous a-t-elle éclairé sur ce point, Durtal ?

— Non, commandant. Elle préfère se confier à vous.

— Le motif de votre voyage est-il si secret et si grave ?

Elle ne répondit pas.

— Parlez, je vous prie, ou vous donnerez raison aux gens qui vous accusent d'espionnage.

De ses dix doigts, elle parut se retenir à la table. Son visage avait perdu toute couleur.

— Souffrez-vous du mal de mer ?

— Très peu jusqu'à présent.

— Je suis heureux de l'apprendre. Pourquoi ne voulez-vous pas me répondre ? Vous ne pouvez que gagner à me faire confiance.

Nous guettions les paroles de notre prisonnière. J'aurais voulu l'aider et lui rendre moins pénible sa confession.

— Eh bien ?

Pour la dernière fois, elle chercha ses mots. On eut dit qu'elle mettait de l'ordre dans ses souvenirs et sa pensée.

— J'ai cru que la mission dont mon père m'avait chargée n'avait d'importance que pour son client et pour lui. Un incident s'est produit pendant le voyage du retour, un incident qui m'a ouvert les yeux. Les ennemis qui en veulent à ma vie n'ont pas hésité à me dénoncer, pour un dessein que je comprends mal.

— Les ennemis ?... Quels ennemis ?

Elle dit tout bas :

— Je ne sais pas...

— Vous avez dit que «vos ennemis n'ont pas hésité à vous dénoncer». Cela ne ressemble-t-il pas à un aveu ?

Elle fit front comme une bête qui attaque pour se défendre.

— De quel aveu voulez-vous parler ? N'ai-je pas été dénoncée à vos services de renseignements ? Que je sois innoncente ne change, hélas ! rien à l'affaire. Pardonnez-moi si je m'exprime mal ; votre langue n'est pas la mienne et je n'en saisis pas toutes les nuances.

— Votre français est excellent, dit le commandant.

Il alluma une autre «troupe» et, avec une expression de plaisir, souffla la fumée par les narines.

— Qu'est-ce que cette mission dont votre père vous avait chargée ?

Elle fut prise d'un accès de toux.

— Voulez-vous un verre d'eau ?... Le Gall !

— Mademoiselle Allegri n'a pas encore déjeuné, commandant... Une tasse de café lui ferait sans doute plus plaisir.

Lucrezia Allegri me jeta un regard reconnaissant. Pour reprendre son interrogatoire, le commandant attendit qu'elle eût bu le café que lui apportait le maître d'hôtel.

— Quand nous en aurons fini, vous emmènerez cette jeune personne au carré des officiers et vous vous ferez servir à déjeuner, Durtal. J'ai à faire, ce matin.

Comme il tournait la tête vers Lucrezia Allegri, je surpris sur son visage aux rides profondes une expression d'incertitude. Peut-être se sentait-il, autant que moi, désarmé devant elle.

— Reprenons cette conversation, mademoiselle. Nous sommes décidés à vous protéger, si vous n'avez rien fait de contraire aux intérêts de notre pays, et à vous empêcher de nuire, si vous êtes coupable. Donnez-moi la preuve de votre innocence et nous vous aiderons. Quelle était cette mission à laquelle vous faites allusion ?

Résister à la fermeté de cette voix, je le savais par expérience, n'était pas aisé. Lucrezia Allegri le comprit. Ses mains sans bague cessèrent de s'aggriper au rebord de la table et elle les laissa reposer sur ses genoux.

L'expression inquiète qu'elle avait eue depuis le début de l'interrogatoire se retira de ses traits, comme la marée qui descend découvre le dessin calme de la plage.

J'eus le sentiment trompeur que rien, aucun événement, aucune menace, ne pouvait ébranler sa paix profonde, clé d'or de son jardin secret.

— Mission ? Le terme est impropre, sans doute. Je vous ai dit que mes deux frères avaient été tués. Ma sœur aînée est mariée et demeure à Viterbe. Ma mère est morte. Mon père est l'un des plus célèbres joailliers d'Italie. En fait, il est le joaillier de la cour.

Elle dit avec grâce :

— Pardonnez-moi d'entrer dans des détails qui ont leur importance.

— Nous vous écoutons.

— Il y a quelques mois de cela, en juillet, pour être précise, mon père reçut la visite d'un prince de la famille royale.

Le commandement fit un geste d'encouragement.

— Soyez assurée de notre discrétion. Mais continuez, je vous en prie.

— Le prince Renato, époux de la grande-duchesse Sophie, cousine germaine du Tsar Nicolas II et parente, donc, du roi George V d'Angleterre, est, depuis de nombreuses années, le client de mon père. Celui-ci ne s'étonna pas quand il fut chargé par le prince d'une mission de confiance. Il s'agissait de retrouver une parure de rubis qui avait appartenu à la couronne de Russie. L'histoire de cette parure est tragique. Puis-je vous la raconter ?

— Soit, dit le commandant.

— Quand la famille impériale fut massacrée, dans une chambre de la maison Ipatiev, à Ekaterinbourg, pendant la nuit du 16 au 17 juillet 1918, les assassins

35

chargèrent les cadavres sur un camion et les transportè-
rent à quatre kilomètres du village de Koptiaki. On les
précipita au fond d'un puits, seul vestige de la mine
abandonnée dite des « Quatre Frères », qui se trouvait en
pleine forêt. Or, les ordres de Moscou étaient formels :
toute trace du crime devait être effacée. Un membre du
Soviet local se fit délivrer une grande quantité d'acide
sulfurique et d'essence qu'il amena sur l'emplacement
de la mine abandonnée. Le 18, les meurtriers retirèrent
du puits les onze corps (ceux du tsar, de l'impératrice, du
tsarévitch et des quatre grandes-duchesses, ceux de la
femme de chambre, des deux domestiques et du médecin). Avant de les jeter sur le bûcher, ils s'acharnèrent à
broyer les os et à dépecer les chairs. Alors, des vêtements
des princesses, s'échappèrent des trésors de diamants, de
perles et de pierres précieuses que, prêtes au départ, les
malheureuses avaient cousus dans les ourlets et les
doublures de leurs habits. Les assassins se partagèrent le
butin. C'est ainsi qu'une parure de rubis d'une valeur
fabuleuse échut à l'un des meurtriers, appelé Sémachko.

— Celle que l'on chargea votre père de retrouver ?...

— Oui... Sept jours plus tard, les armées blanches
occupèrent Ekaterinbourg, d'où les régicides s'étaient
enfuis. Plusieurs d'entre eux, cependant, furent arrêtés
par les blancs. Sémachko était du nombre. Trop ivre
pour se sauver à temps, il tomba au pouvoir des
justiciers. Le juge Sokolov mena l'enquête. Sémachko le
conduisit au puits de mine où l'on trouva les ossements
des victimes. Quant à la parure de rubis, il l'avait jouée
et perdue.

Lucrezia Allegri s'interrompit. Le récit qu'elle nous
faisait avec simplicité nous tenait en haleine.

— La grande-duchesse Sophie, épouse du prince
Renato, avait été l'amie du juge Sokolov. Les rubis
avaient appartenu à sa mère. Elle eut tout donné pour
les retrouver.

« Grâce à ses cousins d'Angleterre, elle put, à travers
les années, retrouver l'épopée de cette parure qui passa
de main en main, quelquefois vendue pour une poignée
de roubles, quelquefois perdue ou cachée, quelquefois
jouet d'un enfant qui n'en soupçonnait pas la valeur.
Aussi longtemps que les joyaux impériaux restèrent en

Sibérie, dans la limite de l'U.R.S.S., songer à les acquérir fut impossible.

« Une femme Uzbek, qui vivait sous la tente, qui se nourrissait de viande de chameau, fort pauvre, les garda pendant plusieurs années. Au début de la guerre, une tribu turkmène passa la frontière afghane, emmenant la parure avec elle. Une épidémie la décima. Pour soigner les survivants, gravement malades, le chef turkmène la vendit à un Afghan. Ce fut ainsi que les rubis quittèrent le territoire de l'U.R.S.S. Un marchand les porta à Kaboul, au bazar de la ville, où un orfèvre les acheta pour une somme considérable.

« Par l'entremise des ambassades de Grande-Bretagne et d'Italie, le prince Renato et son épouse s'efforcèrent d'entrer en possession de ces bijoux. Ils se heurtèrent au refus du marchand. C'est alors qu'ils vinrent voir mon père.

« — Voici la somme que nous vous confions, dirent-ils, en nous montrant des rouleaux de pièces d'or. Considérez cela comme une avance. Le marchand Shéhabî demande de ces rubis une somme raisonnable. Leur valeur dépasse de beaucoup vingt mille dollars. En Afghanistan, le dollar-papier n'a aucun prestige. Le marchand Shéhabî est un sage. Il aime cette parure et ne veut pas s'en séparer. Il en connaît aussi bien que nous l'origine ; il a pesé et estimé son trésor. Si vous arrivez à le convaincre que vous aimez les rubis autant que lui, il vous les abandonnera sans doute. Personne n'a réussi jusqu'à présent. Nous payerons les frais de votre voyage. Il nous faut un amateur éclairé pour tenter cette entreprise et la mener à bien.

« — Votre Altesse me flatte et m'honore, dit mon père, mais je suis fatigué. Je relève à peine d'une grave maladie. Ce voyage dépasserait de beaucoup mes forces. Ne pouvez-vous vous adresser à un autre joaillier ?

« — A vous seul, nous pouvons faire confiance.

« Ils plaidèrent leur cause avec plus qu'un ardent désir de convaincre, une sorte de désespoir. Très près du but, ils sentaient la menace se préciser et redoutaient un échec.

« Ils revinrent chaque jour. Mon père se défendait

d'accepter cette mission. Les arguments dont il disposait lui semblaient sans appel.

« — Comment trouverais-je un bateau pour m'emmener aux Indes ? disait-il.

« — Nous vous retiendrons une cabine.

« — Et les papiers ? Pensez-vous qu'au cours de la cinquième année d'une guerre mondiale, alors que notre pays est envahi, détruit et prostré, que Rome vient seulement d'être libérée, il soit possible d'obtenir un passeport, des visas ?

« Leurs Altesses avaient réponse à tout.

« — Nous sommes parents de la famille royale d'Angleterre. Pendant la guerre, nous avons favorisé les Alliés contre l'Axe. On ne peut rien nous refuser. Votre attitude politique a toujours été courageuse. Vous êtes au-dessus de tout soupçon. Aucun joaillier ne jouit d'une réputation semblable à la vôtre. Il nous faut plus qu'un expert en pierres précieuses. Vous êtes l'artiste et le connaisseur que nous cherchons. »

Un mouvement du bateau surprit Lucrezia Allegri, qui regarda le hublot avec étonnement et laissa la phrase inachevée.

— L'autorité de votre père est-elle à ce point indiscutable ?

La question du commandant fit sourire la jeune fille.

— Oui, sans aucun doute. Non seulement mon père est un expert appelé en consultation aussi bien à Londres qu'à New York ou Paris, mais les diamantaires d'Amsterdam ou d'Anvers s'inclinent devant son flair et ses connaissances. Sa spécialité a toujours été le rubis.

Et avec un sourire d'une ironie un peu triste, plus lucide que blasée, elle dit :

— Ces grands personnages auraient-ils insisté pour obtenir les services d'un simple joaillier, si la présence de mon père ne leur avait pas paru irremplaçable ? En Occident, sur les marchés de pierres précieuses, son avis fait force de loi.

Les bras croisés, assis contre le bord de la table, le commandant fit un geste d'encouragement.

— Continuez, je vous prie...

— Que vous dire d'autre ? Depuis la mort de mes frères et de ma mère, j'accompagne chaque jour mon père à son travail. Nous vivons place d'Espagne. La bijouterie qui fut fondée par mon bisaïeul est située via Condotti, à deux pas de l'appartement. Une profonde affection m'unit à mon père. C'est un artiste et un homme droit. Il est l'être que j'aime le mieux au monde. Depuis les grands malheurs qui nous ont accablés, j'ai souvent le sentiment de veiller sur lui. Il m'arrive de penser que je suis plus capable de le protéger qu'il ne pourrait, lui, le faire.

«Les visites des princes se faisaient plus fréquentes. Leur insistance croissait.

«— Acceptez, maître Allegri. Notre appui et notre protection vous sont acquis. Nous doterons richement votre jeune Lucrezia en reconnaissance du service que vous nous aurez rendu. Avons-nous tort de souhaiter rentrer en possession d'un trésor qui depuis tant de siècles fut à notre famille et que nous avons perdu dans d'aussi tragiques circonstances ?

«Mon père secouait la tête.

«— Je comprends les raisons de Votre Altesse, mais je n'ose assumer une telle responsabilité. Je suis fatigué et malade.

«Les choses en étaient là et la patience des princes commençait à se lasser quand, un jour, la princesse entra dans le magasin où je me trouvais seule.

«— Lucrezia, *cara* Lucrezia, votre père n'est-il pas là ?

«— Il est resté à l'appartement ce matin, dis-je. Il avait passé une très mauvaise nuit.

«— Je voulais lui montrer ceci, mais nous nous entendrons bien toutes les deux, *carissima.*

«Elle sortit de son sac quelques bijoux qu'elle désirait faire ressortir et d'autres encore dont elle voulait changer la monture. Elle me demanda des conseils. Certaines pierres étaient de très belle qualité. D'autres ne valaient pas qu'on se souciât de les mettre en valeur. Une imitation cachée au milieu de quelques émeraudes d'une rare pureté ternissait un diadème. J'en fis la réflexion.

«— Comme vous avez raison d'attirer mon attention sur cette pierre, *mia cara.* Il y a bien des années, j'étais aux Etats-Unis quand une émeraude s'est détachée de ce bandeau. J'avais beaucoup perdu au jeu et j'ai pensé que nul ne verrait la différence si je la remplaçais par une imitation. Vous n'avez pas hésité. Vous avez estimé ces bijoux sans commettre d'erreur. Votre avis correspond à celui des meilleurs experts.

« Je souris :

« — J'ai été à bonne école.

« Le regard qu'elle me lança me laissa perplexe. Elle me confia ses bijoux et dit en me quittant :

« — Je reviendrai demain. Soyez là, Lucrezia.

« Tout en examinant avec attention les joyaux que Son Altesse m'avait laissé, mon père me posa un certain nombre de questions. Cette visite l'inquiétait. Je ne comprenais pas son tourment.

« — Et qu'as-tu répondu ? me disait-il.

« — Que cette pierre a un défaut, que la couleur de ce rubis est rare, que l'émeraude de Colombie est presque sans tache, et qu'il sera difficile de trouver un amateur pour un diamant jaune, qualité que les Russes apprécient, mais que les Européennes n'aiment guère.

« A voir l'expression consternée de mon père, je me reprochai d'avoir tant parlé.

« — Me suis-je trompée ?... Père, réponds-moi... Ai-je induit Son Altesse en erreur ?

« Mon père poussa un profond soupir.

« — Tu ne t'es pas trompée. Tu leur as donné la preuve de tes capacités. Les princes sont obstinés. Je n'ai cédé ni à leurs prières ni à leurs cajoleries. Involontairement, tu leur as fourni des armes contre nous.

« — Que veux-tu dire ?

« — Qu'ils te choisiront pour messagère. Si je puis invoquer ma fatigue et mon âge, tu n'as pas les mêmes excuses.

« Quand la princesse revint le lendemain, son mari l'accompagnait. Tout se passa comme mon père l'avait prévu.

« — Un beau voyage ferait le plus grand bien à Lucrezia, dirent Leurs Altesses d'une seule voix. Nous comprenons les raisons que vous nous avez données pour motiver votre refus, mais votre fille est en bonne santé, jeune et sans attaches. Mieux que vous sans doute, elle arrivera à convaincre le marchand de Kaboul de lui vendre la parure. Shéhabî ne sera pas insensible au charme d'une jeune personne qui arrive de si loin pour admirer ses rubis. Pas plus qu'à vous, il ne pourrait lui tendre de piège. Lucrezia Allegri est votre digne enfant ; nous sommes charmés par son instinct et sa science. Vous consentez à ce départ, n'est-ce pas, *cara mia ?*

« Je regardai mon père. Il paraissait souffrir. Ses yeux étaient pleins de tourment.

« — Vous allez me priver de ma fille. N'est-ce pas assez d'avoir perdu mes fils ? La voir entreprendre ce difficile voyage dans un monde dévasté par la guerre me consterne et m'effraie.

« La princesse se mit à rire.

« — Votre tendresse paternelle voit du danger partout, signor Allegri. L'Inde n'a pas été bombardée, que je sache, ni l'Afghanistan. Si Lucrezia aura à supporter un certain inconfort, elle n'en fera pas moins un merveilleux voyage. Nous la protégerons, nous veillerons sur elle et nous faciliterons ses déplacements. Nous retiendrons sa cabine sur le bateau, son compartiment en chemin de fer, et ses chambres. Nous ferons en sorte qu'elle soit logée à l'ambassade de Kaboul et aux consulats dans l'Inde. Nous tenons à ce qu'elle fasse un très beau et très agréable voyage. Je vous en prie, consentez.

« Mon père ne répondit pas.

« — A vous de le décider, ma chère. Il vous aime et ne vous refusera rien. Nous vous offrons la chance de votre vie. Nous sommes de fidèles amis et nous n'oublierons jamais le service que vous nous aurez rendu.

« Ai-je eu tort d'accepter ? Ce voyage ne fut pas le déplacement idyllique dont Leurs Altesses avaient fait miroiter les promesses. A établir le compte de tous les risques qu'il me fallut affronter, à mesurer les dangers et les difficultés de la route, je ne peux que me réjouir d'avoir remplacé mon père. Il n'aurait pas survécu à ces mois de fatigue, de périls et d'efforts incessants. »

Lucrezia Allegri se tut. Son visage n'avait plus trace de couleur. Quand elle baissa les paupières, je remarquai le beau mouvement de ses cils. Elle serra ses mains l'une dans l'autre, comme pour les empêcher de trembler. Le commandant remarqua sa fatigue. Il dit d'une voix sans impatience :

— Votre récit est long. Vous nous aviez prévenus. Allez tous les deux déjeuner. J'ai à faire. Revenez me voir à neuf heures et demie. Je veux connaître la fin de l'histoire.

Notre prisonnière se leva et d'un léger salut de la tête prit congé du commandant. A la porte, elle hésita.

— Suivez-moi, dis-je.

J'espérais qu'il n'y aurait personne dans le carré des officiers et j'eus raison de louer ma chance. Tandis que je sonnais le maître d'hôtel, les bras croisés, d'un air frileux, debout contre le mur, la jeune fille regardait autour d'elle.

— Asseyez-vous, je vous prie. Avez-vous froid ?

— Il ne fait pas très chaud.

Je ne pus m'empêcher de dire :

— Les princes qui vous avaient promis tant d'agréments de ce voyage ont négligé de prendre en considération les climats et les saisons.

— A l'aller, il faisait chaud à Goa et plus encore dans la mer Rouge. Mais l'automne afghan est glacé.

— Vous n'êtes pas suffisamment vêtue.

Son visage avait une expression de défi, comme si elle se fut mesurée avec le destin.

— Ma captivité ne durera pas longtemps, j'imagine. Comment rejoindrai-je Rome ? J'ai hâte de retrouver mon père.

Je promis que nous ferions de notre mieux pour lui faciliter la fin de son voyage. Un éclair de joie traversa son regard.

— Peut-être, s'il en est ainsi, arriverai-je chez moi plus tôt que je ne le pensais.

— Peut-être...

Je n'en étais pas très convaincu. Alors que je connaissais Lucrezia Allegri depuis moins de trois heures, je redoutais déjà l'inévitable séparation. Que contiendraient les instructions qui nous attendraient à Beyrouth ? Mon existence allait en dépendre.

Au maître d'hôtel du carré des officiers, je demandai qu'on nous servît rapidement le petit déjeuner.

— Avez-vous très faim ? Vous aurez du café au lait, du pain grillé et du beurre.

— Je boirai volontiers une tasse de café.

— Souffrez-vous du mal de mer ?

Elle eut une petite moue, haussa les sourcils qu'elle avait fins et bien dessinés et ne répondit pas.

— L'*Amarante* vous secouait autant que la *Joyeuse*, j'imagine. Pourquoi restez-vous debout ?

Elle s'attabla en serrant son manteau autour d'elle. Dans le geste qu'elle fit, elle découvrit les bracelets à la monture trop lourde et aux gros cabochons sans éclat. Il appartenait au commandant de l'interroger et de connaître la suite de son histoire. C'est à lui qu'elle eût dû confier la parure de rubis si elle l'avait dans ses bagages. Ne m'avait-elle pas dit sur l'*Amarante* qu'elle avait mené à bien sa mission ?

Elle souhaitait le silence et le repos. Je m'assis devant elle et je la regardai. La légère meurtrissure de ses paupières, une certaine lassitude que son maintien trahissait me la rendaient plus chère. Je remarquai de nouveau le tremblement de ses doigts. Ses mains semblaient ne reposer sur rien, comme si tout contact les eût brûlées. Elle avait dû beaucoup souffrir pour dire ainsi non à tout. Pourtant, sous cette apparente raideur, je retrouvai le même fond de tranquillité, de sérénité, qui, dès l'abord, m'avait ému.

Le matelot nous servit le petit déjeuner. Lucrezia refusa le lait et le sucre et but une gorgée de café. Elle poussa vers moi le pain grillé et le beurre.

— Je n'ai pas faim.

Mais, devant elle, je n'avais pas honte de mon appétit. Je m'étais levé tôt ; je n'avais rien pris depuis la veille. Manger me faisait du bien.

— A quoi pensez-vous, Lucrezia Allegri ?

Elle répondit sans hésiter :

— Au voyage que j'ai fait.

Son sourire qui ne découvrait que des dents imparfaites était exquis.

— Quelle heure est-il ?

— Pas même neuf heures.

— J'ai hâte de raconter au commandant la fin de mon odyssée.

— Vous montriez moins d'empressement tantôt.

Un peu inquiète, elle me jeta un regard de biais.

— Je ne savais pas que ce serait aussi simple. Depuis

que j'ai quitté Rome et mon père, je souffre du besoin de me confier, depuis surtout que cet attentat a eu lieu, dans le train, entre Peshawar et Lahore.

— Etes-vous certaine que vous en étiez la victime désignée ?

Son visage se crispa. Elle mordit ses lèvres.

— Dans le compartiment voisin de celui que j'occupais, une femme a été attaquée et criblée de coups de couteau. Le vol était le mobile de cette agression. Or, le voleur s'est enfui les mains vides, après avoir fouillé les malles de sa victime et dédaigné des objets de valeur. C'était à moi qu'il aurait dû s'en prendre. La dénonciation qui m'a livrée entre vos mains me paraît venir de la même source.

— Pourquoi auriez-vous des ennemis ?

Elle haussa les épaules.

— En tant que personne, je n'ai aucune importance, mais on cherche à me retarder et à me dépouiller. En assurant la mission dont on voulait charger mon père, j'ai pris un risque. J'attends comme une bénédiction la fin de l'épreuve.

Elle ne mentait pas. En vérité, elle avait un air d'attente extraordinaire.

Quand son souci l'aurait quittée, mon heure viendrait. Je n'avais jamais aimé. Lucrezia Allegri, étrangère au noble regard, m'était apparue et en un instant, à jamais, le soleil avait lui. Elle était le miracle, la joie, le bleu de la nuit, l'odeur de l'aubépine, la pluie des glycines sur les murs ocre de Rome, elle était le silence de la neige et la puissance de la mer ; elle était le livre et la musique. Sans elle, j'étais un corps infirme, des lèvres cousues, des yeux aveugles. Sans elle, rien n'existait.

Dans un élan du cœur, je dis :

— Je souhaite prendre sur moi votre fardeau.

Elle sourit.

— Vous y perdriez votre repos.

— Pour que le vôtre soit assuré ?... J'y gagnerais encore.

Elle porta la tasse de café à sa bouche, comme pour se donner une contenance.

— Le poids de la vie des autres est lourd à porter. Vous me connaissez depuis trois heures à peine. Vous ne savez rien de moi. Peut-être suis-je en train de vous mentir.

Je n'éprouvais ni malaise ni pressentiment. Je croyais à son innocence. Son apparence ne mentait pas.

— Comme vous êtes sûr de vous et des autres, Thibaut Durtal ! Vous tournez vers la vie un regard armé.

— Et vous, dis-je, ne l'êtes-vous pas ?

En riant, elle découvrit ses dents. Moins parfaite, moins attrayante, elle m'émut davantage.

— De moi ? Mon Dieu, je ne pense jamais à moi de cette façon. Je ne me pose pas semblable question.

— Voilà donc les sources de votre audace ?

— Qui vous a dit que j'étais audacieuse ? Dès que je réfléchis, j'ai peur. Je ne peux pas m'empêcher d'avoir peur.

— Et vous vous êtes lancée sans audace dans une entreprise qui aurait découragé de plus aguerris que vous ? J'imagine facilement ce qu'a été votre voyage. Les princes qui vous ont poussée et engagée dans cette aventure me paraissent bien coupables.

Lucrezia toucha son collier barbare.

— Pourquoi portez-vous des ornements si indignes de vous ? Est-ce d'Afghanistan que vous les avez ramenés ?

Elle n'hésita pas à répondre :

— D'Afghanistan, oui... De Kaboul... Ils ont été ciselés spécialement pour moi. Je n'aime que les bijoux anciens, les vêtements bien coupés, de bonne qualité, mais sans détail agressif.

Ses fines narines battaient. Elle gardait les yeux à demi clos ; elle ajouta, très bas, avec un sourire secret :

— Et me voici obligée de porter des ornements qui me déplaisent ?

IV

Je regardai ma montre.

— Le commandant nous attend. Etes-vous prête ?

Et j'ajoutai avec un sourire compatissant :

— Avez-vous encore hâte de terminer votre récit ?

— Je n'ai pas changé.

Sa simplicité lui donnait beaucoup de force et, moi, je me sentais la bouche lourde et parler m'était difficile.

— Vous avez repris un peu de couleur.

La tête légèrement inclinée, les yeux baissés, comme si elle eût cherché dans la coursive des trèfles à quatre feuilles, — et elle me surprenait tant que je n'aurais pas été autrement étonné de la voir se pencher pour en cueillir un et me l'offrir, — elle ne répondit pas. Je m'effaçai pour l'introduire chez le commandant.

— Eh bien ! dit mon chef qui consultait des cartes, vous êtes-vous reposée, mademoiselle ?

Elle fit oui de la tête.

— J'espère que le petit déjeuner du bord ne vous a pas déplu. Je suis à vous dans un instant.

Lucrezia Allegri tourna son regard vers moi. Un sourire changea son tranquille visage. Et puis, de nouveau, elle baissa les paupières.

Le commandant rangea les cartes et s'approcha de nous.

— Asseyez-vous. Votre récit m'a intéressé, mademoiselle. Nous en étions au moment où vous avez accepté de remplir la mission pour laquelle le prince Renato avait désigné votre père. Et ensuite ?

Sans un geste, avec un calme qui n'était qu'apparent, la jeune fille reprit son récit.

— Leurs Altesses tinrent parole. Elles louèrent à mon nom une cabine sur un bateau portugais en partance pour Goa et me procurèrent les papiers et les introductions nécessaires. Jusqu'à Lisbonne où je m'embarquai, leurs amis me prirent en charge. Voyager dans ce mois de septembre encore chaud manqua d'agrément. Je ne restai pas longtemps seule dans ma cabine. Le commissaire me pria d'abord d'accepter une compagne, puis, à mesure que nous nous éloignions de la Méditerranée, m'en imposa une autre. Ces détails sont d'ailleurs sans importance. Je vous épargnerai le récit de toutes les démarches qu'il me fallut entreprendrre, dès mon arrivée à Goa, pour continuer mon voyage vers Kaboul. A l'aller, je ne connus pas d'autres difficultés que celles qui tiennent au manque de confort des trains indiens, aux coutumes locales, à l'impossibilité de se faire comprendre, même en anglais, aux empêchements qui frappent une voyageuse solitaire dans un pays musulman où la règle du «purdah» est strictement et cruellement appliquée. A Lahore, je crus qu'il me serait impossible de trouver une chambre. A Peshawar, je fus l'objet d'une attention plus épuisante que malveillante.

Le commandant l'interrompit :

— Les princes, pour le compte desquels vous avez entrepris cette impossible odyssée, ne vous avaient-ils pas promis des correspondants et des appuis ?

Lucrezia Allegri eut un rire sans insolence.

— Si je ne l'avais pas cru, aurais-je accepté de me mettre en route ? Rien n'avait été prévu. Je ne pus compter que sur moi. La fortune dont ils m'avaient munie — en pièces d'or, ne l'oubliez pas — augmentait les risques que j'étais contrainte de prendre. J'ai vécu dans la peur d'être volée ou assassinée. J'ai mal et peu dormi ces derniers mois.

Le commandant, les yeux sur sa passagère, les sourcils froncés, lui donnait toute son attention.

— Comme me l'avait promis la princesse Sophie, j'ai récolté au cours du voyage d'inoubliables impressions.

— Avez-vous rencontré le marchand au bazar de Kaboul ?

— Oui.

— Heureuse circonstance, dit mon chef. Je n'aurais pas été autrement surpris que cette histoire de bijoux impériaux retrouvés entre les mains d'un Afghan eût été inventée de toutes pièces.

— Le marchand Shéhabi existe. Qu'Allah, qu'il prie cinq fois par jour avec ferveur, soit miséricordieux et le garde en vie ! Ma visite, hélas ! l'a mis en vedette et, au moment où j'ai quitté Kaboul, c'en était fini de sa paix.

— Avez-vous pu acheter les rubis ?

— Ce fut une entreprise de longue haleine. Shéhabî, amateur éclairé, avait l'âme désintéressée. Pour nous entendre, nous dûmes surmonter une première difficulté : je ne parle pas persan et Shéhabî, qui ignore également l'italien et l'anglais, a quelques notions de français. Il dispose d'un vocabulaire réduit et d'une grammaire simplifiée à l'extrême. Cependant, dans l'échope de marchand d'orfèvrerie et de tapis où il m'attendait, sous le toit de paille et de peaux du bazar de Kaboul, j'ai passé de très agréables moments. Dès le premier jour, j'eus accès au trésor de Shéhabî. Il me montra les rubis. Je n'avais jamais pesé, caressé, admiré des pierres aussi belles. Je n'aime pas les bijoux, mais l'histoire de cette parure tient de la féerie, de la légende et du plus cruel des contes.

« En les tenant entre mes doigts, j'imaginais que l'une ou l'autre des grandes-duchesses s'en était parée à Saint-Pétersbourg, que ces rubis avaient orné une robe blanche à un bal de la cour. J'aimais évoquer les impératrices et les princesses des temps jadis qui les avaient portés, les visages royaux qu'ils avaient embellis, les têtes couronnées dont ils avaient exalté la majesté et le prestige. Des hommes aussi avaient dû s'en parer. Je m'efforçais d'oublier le massacre d'Ekaterinbourg. Ce rouge si rare avait gardé la couleur du sang. Et, pourtant, le collier, les bracelets, me faisaient horreur. A peine obtenus, je souhaitais en être débarrassée.

Le commandant cligna des paupières, chassa la fumée de sa cigarette et encouragea Lucrezia d'un :

— Quand les avez-vous obtenus ?

— Un mois à peine après mon arrivée à Kaboul.

— Les avez-vous payés cher ?

— Pas même le dixième de leur valeur. Shéhabî, aussi bien que moi, la connaissait. Il n'en avait cure. Il les aimait pour leur beauté. Il ne tenait pas au gain. Son désintéressement n'avait d'égal que son intelligence. Je pense à lui comme à un artiste, à un savant, à un seigneur.

« A Kaboul, parmi les ânes et les chameaux du bazar, dans les âcres odeurs et le froid, j'ai vécu auprès de lui les plus belles heures de mon voyage.

« Au bout de la quatrième semaine de mon séjour là-bas, un soir, il me fit appeler. Je quittai l'ambassade d'Italie où je demeurais et j'allai le rejoindre.

« Il m'offrit un verre de thé. On en fait du vert et du noir, mais je préfère celui qu'on prépare au samovar et j'y avais pris goût.

« — Désires-tu toujours les rubis ?

« Je souris en le regardant. Il fumait un narghilé et l'eau parfumée bouillonnait dans le vase.

« — Je suis venue d'Europe tout exprès pour les acquérir.

« — Et qu'en feras-tu, quand ils seront tiens ?

« — Je ne vous ai pas menti, Shéhabî. Vous savez bien que jamais ils ne m'appartiendront, mais que je veux les acquérir pour les restituer à leurs légitimes propriétaires.

« Il fuma un moment en silence, puis il écarta le tuyau de sa bouche. La lampe à acétylène donnait à son visage un éclat verdâtre et soulignait le dessin de ses orbites. Il ressemblait au saint Jérôme d'un tableau hollandais. Les beaux tapis étalés derrière lui lui faisaient un étrange décor.

« — Et si tu pouvais garder ces rubis pour toi-même, madame, les garderais-tu ?

« Je ne réfléchis pas longtemps.

« — Non, non, certes.

« — Tu as peur. Pourquoi ?

« — L'origine de ces pierres à la fois m'enchante et m'épouvante. Je ne souhaite pas être gardienne de telles richesses.

« Et j'ajoutai, en me rapprochant du misérable brasero qui donnait aussi peu de lumière que de chaleur :

« — Pour moi, aucun souvenir de joie ou d'amour ne s'y attache. Les rubis me porteraient malheur.

« Shéhabî ne me regardait pas. M'avait-il écoutée ?

« — Je leur dois cependant de vous avoir connu. De retour chez moi, je n'oublierai pas vos enseignements et votre amitié.

« Il se pencha pour me verser un autre verre de thé. J'aimais la précision et la majesté de ses gestes. Je l'avais vu toucher les rubis et caresser la parure avec des doigts pieux, pleins d'un respect attentif. Je ne sais pas s'il entourait les êtres de la même ferveur dont il enveloppait les objets et souvent je lui avais dit : « Shéhabî, comme nous différons en cela. Je ne puis pas m'attacher aux choses et j'aime les créatures humaines. » Il se contentait de tirer sur sa pipe sans me regarder et un sourire sage flottait sur ses lèvres.

« Ce soir-là, il me dit :

« — Quand tu emporteras cette parure, madame, prends garde. Tu auras autant d'ennemis que tu as de richesses. Tu m'offres vingt mille dollars. Ceux qui t'envoient s'imaginent sans doute que le vieux Shéhabî est un insensé et un ignorant. Ces rubis valent dix fois la somme qu'ils t'ont confiée pour moi. Je les ai eus à bon compte. Je ne prendrai pas un afghani de bénéfice. Mon cœur n'est pas cupide. Le tien ne l'est pas davantage. C'est pourquoi je te dis : que ton souhait soit exaucé, madame.

« Avant de me remettre la parure, il réfléchit au moyen de la dissimuler. Aucun stratagème ne lui semblait offrir de garanties suffisantes.

« — Tu vas courir de grands dangers, me disait-il. Tu es ma fille. Comment pourrais-je te protéger ?

« Je lui demandai s'il avait eu le sentiment que ces rubis lui avaient porté malheur.

« — Ce collier, ces bracelets sont passés de main en main tout au long de trois mille kilomètres. Une Uzbek s'en est parée. Les plus pauvres nomades ont laissé leurs enfants affamés jouer avec un trésor parmi les chameaux galeux, dans le sable où tout se perd. Ils n'en ont jamais soupçonné le prix. Des cailloux plus rouges que les autres, des cailloux couleur de sang sertis dans une monture si simple, comment en auraient-ils deviné la beauté et la valeur ?... Vous autres de l'Occident, vous êtes différents. Vous donnez aux pierres un attrait, un prix, une singularité qu'elles n'ont pas. Je crains pour toi, madame. On ne s'est jamais attaqué à Shéhabî. Peut-être, avant que la lune soit vieille, se sera-t-on efforcé de t'arracher ton trésor.

« La dernière nuit que je passai à Kaboul, un incident lui donna raison. Mes hôtes, le ministre d'Italie et sa femme, s'étaient rendus à l'ambassade soviétique. Ses réceptions, où l'on prodiguait le caviar et la vodka, étaient les plus prisées de la capitale afghane. A la veille de mon départ, je déclinai l'invitation. Je devais écrire quelques lettres et préparer mes bagages. Je dînai tôt. On fait pauvre chère à Kaboul. Je n'avais pas grand-faim. Je me contentai d'une omelette et d'une orange. Je bus plusieurs tasses de thé. A peine avais-je achevé mon repas, qu'une envie de dormir m'accabla. En bonne Romaine, je me couche tard et le voyage n'avait pas changé mes habitudes. Pourtant, ce soir-là, dès huit heures, je luttai en vain contre le sommeil. Je voulus gagner ma chambre. Tout habillée, je tombai sur le lit et m'endormis aussitôt. Quand je me réveillai, il faisait grand jour. On frappait à ma porte. Au domestique qui entrait et qui comprenait un peu l'anglais, je demandai l'heure.

« — Neuf heures, me dit-il.

« J'eus quelque peine à vaincre ma somnolence. Alors, je m'effrayai : quelqu'un s'était introduit dans ma chambre pendant que je dormais. Un grand désordre y régnait. Je retrouvai mes bijoux — de très simples bijoux — éparpillés à travers la pièce. Or, j'avais l'habitude de les mettre sous le traversin. Rien n'avait disparu. Certaine que l'on m'avait droguée pour mener à bien cette fouille, je me souvins des paroles de Shéhabî et j'eus peur. Je me confiai à mes hôtes.

« Le ministre se montra perplexe.

52

« — A quoi bon porter plainte ? Les Persans et les Afghans sont d'habiles voleurs. Nus et le corps enduit d'huile pour offrir moins de prise à ceux qui voudraient les arrêter, ils ne peuvent être convaincus de vol que si on les surprend sur le fait. Autrement, la déposition se retourne contre le plaignant.

« Or, je le répète, rien n'avait disparu, ni mes bijoux ni mes vêtements. En arrivant à Kaboul, j'avais confié au ministre l'argent que je possédais et l'or que je transportais. Un vol m'aurait moins inquiétée que cette recherche dont je connaissais l'objet. »

Lucrezia Allegri se tut. Elle avait oublié notre présence, le carré du commandant, l'aviso *La Joyeuse,* l'accusation qui pesait sur elle et contre laquelle, en se confiant à mon chef, elle essayait de se défendre.

Sous son apparente tranquillité, elle vivait avec violence ; l'appétit de son sang, l'ardeur de son âme lui ôtaient les couleurs des joues et la marquaient d'un grand air d'épuisement et de faim. A l'écouter, je pressentais l'autre côté de ce blanc et délicieux visage.

Le commandant regarda sa montre.

— Aviez-vous déjà la parure de rubis en votre possession, cette nuit-là ?

— Non. Shéhabî était un homme sage. Il devina le poids du fardeau et ne voulut m'en charger qu'au dernier moment. Je le quittai avec chagrin. Il me fit mille recommandations. S'il avait connu les dangers qui me menaçaient, mon père n'aurait pas parlé autrement.

« Sur le chemin du retour, entre Peshawar et Lahore, j'échappai à un attentat. Les trains indiens sont différents des nôtres. Aucun couloir ne relie les compartiments qui s'ouvrent directement sur la voie. Par les bons soins du ministre, j'occupais un compartiment de deux couchettes. Comme le wagon-restaurant n'existe pas, il est d'usage aux arrêts du train de faire des provisions pour le voyage. A la gare de Peshawar une femme du Pundjab, dissimulée sous les toiles raides du purdah, se précipita pour entrer dans mon compartiment. Seul, un grillage brodé, à la hauteur des yeux, lui permettait de distinguer son chemin.

« Je voulus lui dire que les deux places étaient louées, mais elle me coupa la parole. En excellent anglais, elle m'expliqua qu'elle était institutrice. Très jaloux, son mari l'avait conduite de crainte qu'elle ne montât dans un compartiment qui n'était pas « purdah ». Il devait la rejoindre le lendemain à Lahore où elle enseignait dans une école de filles. Auprès de moi, elle se sentait en sécurité. Inquiète, malgré tout, je lui demandai de lever son voile. Un assassin aurait pu se dissimuler sous cette tente opaque qui ne laisse rien apercevoir de la physionomie et de la silhouette. Elle accéda à mon souhait. Elle avait un visage jeune et innocent. Je ne lui donnai guère plus de dix-huit ans.

« — Vous pouvez avoir cette couchette. Je prendrai celle d'en haut.

« Elle me remercia. Je dus la vie à la jalousie d'un Pakistani que je ne connaîtrai jamais. La jeune femme était peu bavarde. Elle partagea mes provisions de riz, de fruits, d'œufs et de pain, et m'offrit du thé. Quand le train démarra, je lui demandai d'ôter son purdah. Le mot, qui veut dire rideau, établit en vérité une séparation bien nette entre l'Indienne musulmane et le reste des vivants. Elle portait des pantalons bouffants, une sorte de boléro de velours, des oripeaux clinquants qui lui seyaient. Elle aurait pu dissimuler une arme sous ses voiles épais. Tranquillisée, je lui souhaitai un bon repos et je m'étendis sur la couchette supérieure.

« Je lus pendant une bonne partie de la nuit. Un pressentiment me tourmentait et je craignais de m'abandonner au sommeil. Au bruit différent de sa respiration, je sus que ma compagne s'était endormie. En traversant la montagne, le train roule lentement et s'arrête souvent. Il devait être trois heures du matin quand je crus entendre un cri. J'accusai ma nervosité et mon anxieuse attente d'un événement que je ne pouvais prévoir. Il y eut un autre cri déchirant, inhumain. Le pays que nous traversions était sauvage. Une bête, un loup peut-être, ou un oiseau de nuit avait pu s'approcher de la voie de chemin de fer. Je me redressai sur ma couchette. Devant la porte du compartiment une silhouette enturbannée glissa sans bruit sur le marchepied ; l'homme lâcha prise et se laissa tomber.

« La locomotive avait ralenti. Je descendis de ma couchette, je m'approchai de la fenêtre. Le wagon, en suivant la courbe des rails, s'inclinait au-dessus d'un fossé. L'homme avait roulé au bas du talus. Dans la lumière du train, je vis qu'il tenait un couteau. Redressé, il paraissait attendre. Je baissai la vitre. Des cris me parvenaient du compartiment voisin où pleurait un enfant. Je frissonnai, de froid ou de peur, je ne sais. L'enfant répétait : « *Mummy... Mummy... Do tell me you're not dead.* » Je n'hésitai pas davantage. Je tirai la sonnette d'alarme. J'attendis en vain que le train s'arrêtât.

« Tout au contraire, la difficile courbe franchie, il reprit un peu de vitesse et continua sa course jusqu'au prochain arrêt. Ma compagne ne s'était pas éveillée. Peut-être la sonnette d'alarme ne marchait-elle pas ? Aux aguets, j'écoutais, anxieuse de surprendre l'appel de l'enfant, la plainte de la mère. Que s'était-il passé à côté ? Si l'on ne prêtait pas immédiatement secours à l'inconnue, sans doute mourrait-elle, faute de soins. L'enfant ne pleurait plus. Je m'habillai. A l'arrêt du train, je me précipitai dans le compartiment voisin et je fis de la lumière. Une femme couverte de sang, inconsciente, gisait au travers de la couchette. Un petit garçon de cinq ans s'était endormi, étendu sur elle.

« J'allai chercher du secours. Le chef de gare ne parlait qu'un anglais rudimentaire. Il avait autre chose en tête et ne s'intéressait pas à l'histoire que je lui racontais. Enfin, je vis un officier de police britannique et je courus à lui.

« — Une femme a été attaquée dans le train. L'assassin s'est enfui. Je vous en prie, venez, la malheureuse respire peut-être encore.

« Il me regarda avec méfiance.

« — N'avez-vous pas rêvé tout cela ?

« — Jugez-en par vous-même. Il s'agit de la vie d'un être.

« Il consentit à me suivre. Quand je poussai la porte du compartiment, il jura entre ses dents.

« — Et vous n'avez pas tiré la sonnette d'alarme ?

« Il n'aimait pas mon accent étranger sans doute et il eut souhaité pouvoir s'en prendre à moi.

« — Je l'ai tirée et le train ne s'est pas arrêté.

« La femme n'avait pas fait un mouvement. L'enfant dormait encore.

« — Nous allons la transporter à l'infirmerie de la gare. Je vous prie de ne pas me quitter, miss. Miss... ?

« — Allegri... Lucrezia Allegri. Si je n'ai pas l'intention de vous quitter, je n'ai pas envie de laisser le train repartir sansmoi.

« Sur un brancard, on emporta l'inconnue à l'intérieur de la gare. Une couverture cachait ses blessures. Je m'occupai de l'enfant. Un docteur fut appelé. Il lui fallut beaucoup de temps pour ranimer la blessée.

« — Nous ne pouvons pas la soigner ici. Qu'elle reprenne le train. Une infirmière veillera sur elle. Nous allons télégraphier à Lahore pour qu'une ambulance vienne la chercher à la gare.

« — Puis-je l'interroger ? dit l'officier.

« — Oui. Ne la fatiguez pas trop. Soyez bref.

« J'assistai à l'interrogatoire. La femme s'appelait Mrs. Collins. Elle se rendait de Peshawar à Bombay. Elle nous dit :

« — Je dormais. J'occupais la couchette inférieure. Au-dessus de moi, Mike, mon petit, s'était endormi. Soudain, je me réveillai. Je ne ressentais aucune douleur. J'avais l'impression que Mike me lançait des objets. Je lui dis : « Mike... cesse donc... Tu m'empêches de dormir. » Je souriais presque. Et, tout à coup, j'ai senti une vive douleur, j'ai ouvert les yeux : un Indien, vêtu seulement d'un dhoti et coiffé d'un turban, un poignard dans chaque main, était penché sur moi. Je n'eus pas le temps de crier. Il me transperçait de coups de couteau en répétant : « Rubis... Rubis... Toi donner rubis. » Je ne possède pas de rubis. Peut-être m'avait-il prise pour quelqu'un d'autre. J'avais, sous mon oreiller, le trousseau de clés qui fermaient mes malles. Je les lui jetai. Il me lâcha pour s'occuper d'ouvrir mes bagages. Alors, Mike se réveilla et vit que j'étais couverte de sang. Il se mit à crier, en descendant bravement de sa couchette pour me porter secours. Le voleur voulut se jeter sur lui pour le faire taire. Je me précipitai entre eux. C'est alors qu'il me coupa les trois doigts de la main. Il murmurait en hindoustani : « Ce n'est pas elle. Elle n'a pas d'enfant. Elle est seule dans son compartiment. » Il me regarda encore avec hésitation et dit d'une voix incertaine : « Rubis... » Je répondis dans sa langue : « Prends tout ce

que j'ai. Je n'ai pas de rubis. Ne touche pas à mon fils. »
Je perdis connaissance. Je ne crois pas qu'il ait rien
emporté.

« L'officier britannique, qui me soupçonnait de complicité, me demanda ce que j'avais vu et ce que je savais
de cet attentat. Mes réponses parurent le satisfaire. Il
me laissa reprendre le train. Je vécus dans la crainte tout
au long de cet interminable voyage. A Goa, je m'embarquai sur l'*Amarante*. Deux Indiennes partageaient ma
cabine. A chaque fois que je rencontrais leur regard,
j'entendais les cris de terreur de la pauvre Mrs. Collins.
Responsable de l'attentat qui l'avait mutilée, je m'étais
occupée d'elle à Lahore du mieux que j'avais pu. Il
m'avait paru juste qu'une certaine partie des dollars-or
que Shéhabî avait dédaignés lui fût attribuée. Je lui
devais la vie. Le même cauchemar tourmentait ses nuits.
Son mari, appelé d'urgence à son chevet, m'avait dit
d'un air attristé :

« — Il faudra que j'envoie ma démission, miss Allegri.
Il y a vingt années que nous vivons ici. Ma pauvre
femme ne peut plus supporter la vue d'un Indien. Elle
revoit toujours son voleur, un couteau dans chaque
main, penché sur elle. Nos supérieurs examinent mon
cas.

« Et voilà ma confession finie. Je sais que mes mystérieux ennemis n'ont pas renoncé à s'emparer du trésor
que je transporte. A bord de l'*Amarante,* je ne me suis
jamais sentie en paix. J'ai hâte d'arriver à Rome. Vous
le comprendrez sans peine, commandant. »

Elle ferma les yeux avec lassitude. Elle souriait pourtant quand elle dit :

— Etre enfin de retour à Rome. Retrouver le repos et
la paix, retrouver mon père, mon Dieu ! comme cela me
semblera bon...

Pendant quelques instants, aucun de nous ne parla.
J'entendais le long éclatement sonore de la mer sous le
ronflement des machines. La voix de Lucrezia Allegri, si
fraîche, avait couvert ces rumeurs. Le commandant
alluma une cigarette et jeta avec précision l'allumette
dans le cendrier.

— Pouvez-vous nous expliquer maintenant ce que
vous faites à bord de la *Joyeuse ?*

La jeune fille le regarda d'un air interdit.

— Je ne vous ai rien caché, commandant. A vous de tirer les conclusions. A vous de m'expliquer le télégramme qui m'a conduite ici.

— Je souhaiterais pouvoir le faire. Pourquoi vous accuse-t-on d'espionnage ?

Elle ne cilla pas sous le regard de mon chef.

— Comment le saurais-je ? J'ai perdu mes deux frères à la guerre. Nous n'aimions ni les fascistes ni les Allemands. Je n'ai jamais eu le moindre rapport avec vos ennemis. Dans ce périlleux voyage dont je vous ai expliqué les raisons et le but, je ne me suis livrée à aucune activité suspecte. L'accusation qu'on a portée contre moi est sans fondement.

— Je veux bien admettre que l'on a induit Paris en erreur. Que vous soyez victime de cette erreur me navre, mais je dois obéir aux ordres que l'on m'a donnés. Et cette histoire de diamants industriels ?

— Je ne connais que les diamants taillés qui ont la valeur des pierres précieuses. Fouillez mes valises. Fouillez-moi. Vous n'y trouverez aucune trace de diamants.

Le silence, de nouveau, nous sépara. Bras croisés, le commandant paraissait réfléchir.

—Pour quelle raison les ennemis qui s'acharnent contre vous auraient-ils essayé de vous compromettre aux yeux du Deuxième Bureau français ? Ce n'est pas à bord d'un navire de guerre qu'un assassin à leur solde pourrait s'introduire pour vous dépouiller.

— C'est pour cela que je vous ai suivi sans crainte. Je dirai plus : avec soulagement. La pensée de quitter l'*Amarante* à Lisbonne, de traverser l'Espagne et de m'embarquer sur un autre bateau à destination de Rome, ne me souriait pas. Je me sens en sécurité à votre bord. Il ne s'agit que d'un répit et Rome est encore loin.

— Oui, dit le commandant.

Il regardait ses souliers bien cirés. Le gauche était en grand besoin de ressemelage.

— Vous croyez donc que toute cette histoire d'attentat, d'effraction et maintenant d'arrestation pour espionnage, a été mise au point par une bande de voleurs décidés à s'emparer des rubis impériaux ?

— Aussi longtemps que je n'avais pas été à Kaboul,

les voleurs pouvaient douter de la valeur des rubis et de leur authenticité. Ma présence là-bas, mes longues et presque quotidiennes visites à Shéhabî leur donnaient la garantie qu'ils cherchaient. Obtenir du marchand qu'il vendît les rubis n'était pas chose facile. Me dépouiller était une entreprise plus aisée.

Le commandant dit avec une colère contenue :

— Pourquoi avoir mêlé la Marine à cette histoire, je me le demande ? Je ne parviens pas à voir l'intérêt de la manœuvre.

Le destin, c'est cela. On ne voit jamais l'intérêt de la manœuvre. Cette jeune fille, que je n'aurais pas dû rencontrer, que je n'aurais pas dû aimer, avait été appelée sur mon chemin. Nous arrivions l'un et l'autre des deux extrémités du monde pour nous trouver par un matin d'hiver en Méditerranée.

— Je crains qu'il ne m'apparaisse bientôt, dit Lucrezia.

Elle allait se lever et quitter le carré quand le commandant la retint.

— Une dernière question encore : avez-vous vraiment cette parure de rubis avec vous ?

— Oui.

— Sur ce bateau ?

Elle eut un sourire presque joyeux et qui me parut étrangement solitaire.

— Bien sûr.

— Et vous la laissez dans vos valises ? Quelle imprudence ! Aussi longtemps que vous serez à mon bord, je m'en sentirai responsable.

Le regard de Lucrezia Allegri chercha celui de mon chef. Elle souriait encore.

— N'est-il pas préférable que je garde mon secret ? Shéhabî m'a donné la meilleure des cachettes. Si vous doutez du récit que je vous ai fait — mais seulement dans ce cas-là — pour vous donner la preuve de ma sincérité, je vous dirai, mais à vous seul, commandant, où je cache la parure.

V

Je m'étais retenu de crier très haut, très fièrement :
« Je le sais... Je sais où vous cachez les rubis, Lucrezia
Allegri. »

— Devons-nous faire confiance à cette jeune personne, Durtal ?

Je répondis « oui » avec une vigueur et un empressement qui pouvaient paraître suspects.

— D'ailleurs, d'ici Beyrouth, le voyage n'est pas long.
Là, d'autres instructions nous attendront. Conduisez
Mademoiselle à l'infirmerie. Vous pourrez lui en donner
la clé. Elle s'y sentira plus en sécurité. Elle n'a à
craindre qu'un sous-marin allemand ou une mine.

D'un ton qui m'émut, elle remercie le commandant.

— Pour les repas de Mlle Allegri, puisqu'elle restera
peu de temps à bord, arrangez-vous avec le président du
carré, Durtal.

A travers le bâtiment que secouait la mer, je conduisis
Lucrezia jusqu'à l'infirmerie. La joie tranquille qui
l'habitait glissait en moi comme la chaleur d'un feu,
comme l'ardeur d'un vin.

Je décrochai une clé au tableau et ouvris la porte de
l'infirmerie. On l'avait repeinte très peu de temps
auparavant. C'était un local étroit mais acceptable. On y
avait fixé un lit.

— Nous n'avons pas l'habitude de recevoir des femmes à bord. Vous avez un lavabo. Je vais vous faire porter vos valises, une paire de draps, des serviettes.

— Je crois que je dormirai en paix, ici.

Je pensai : « En paix sur un navire de guerre ! » Et l'idée m'amusa.

Incapable de m'arracher à la présence pleine de grâce de cette étrangère, je songeai qu'elle inspirait au premier abord le respect et l'amour.

Elle dit :

— Vous êtes austère et réservé. Devant vous, je perds toute assurance. Votre chef commande, mais, vous, vous possédez une autorité cachée qui exige le respect, qui réclame la soumission.

Je me mis à rire :

— Je ne m'imaginais pas ainsi.

— Les gens n'ont jamais d'eux-mêmes l'idée que les autres s'en font. C'était pour vous, bien plus que pour le commandant, que j'ai fait le long récit de mes aventures.

Elle parlait italien, maintenant. Elle éprouvait un plaisir évident à s'exprimer dans sa langue maternelle.

— Je n'ai pas parlé italien depuis que j'ai quitté Kaboul. Vous me comprenez, n'est-ce pas ?

— Fort bien.

— Il est si rare qu'un Français ait un accent possible, et le nôtre, dans votre langue, ne vaut pas mieux. Vous vous appelez Thibaut. Je n'ai jamais entendu ce nom.

Elle levait vers moi un visage souriant, mais j'y devinais l'angoisse. Depuis des mois, elle vivait sous une menace constante, dans une tension des nerfs et de l'esprit qui aurait eu raison d'un être moins équilibré et moins vigoureux. J'aurais voulu lui donner ma protection et mon appui. Elle était devenue, en quelques heures mon bien le plus précieux.

— Thibaut Durtal, ce nom vous va bien.

— Je le dirai à mon père.

— Et non pas plutôt à votre mère ?

— Ma mère est morte.

Elle fit un geste des deux mains pour relever une mèche qui avait échappé à sa coiffure sévère. Le mouvement découvrit les bracelets barbares. Je les touchai du doigt.

— Curieux travail.

Du bout des doigts elle caressa le collier aux cabochons brunâtres.

— Au pied des montagnes du Cachemire, non loin de Peshawar, s'élève le site de Taxila. Il occupe un double cirque formé par les vallées convergentes des rivières Haro et Tamra-Nala. Au temps de Zoroastre, la Perse aussi était présente à Taxila et, avec les Parthes et les Scythes, les civilisations des hauts plateaux d'Asie, influencées par l'inspiration grecque, s'unirent pour créer les plus beaux bijoux jamais sortis des mains habiles d'un orfèvre.

Je ne pus m'empêcher de sourire.

— Que vous êtes donc savante ! Et vous appelez cela : « l'un des plus beaux bijoux sortis des mains d'un orfèvre » ?

La matière même en était pauvre. L'argent aurait été trop fragile. L'alliage devait contenir une bonne proportion de fer.

Troublée, Lucrezia garda le silence.

— Cette parure-là ne vient pas de Taxila, d'ailleurs disparue depuis trop longtemps pour qu'on fasse encore appel à ses orfèvres, si renommés qu'ils furent au faîte de sa gloire. N'aurait-elle pas été ciselée tout exprès pour vous, suivant les instructions précises du marchand Shébabî dans le bazar de Kaboul ?

Elle me lança un regard éperdu.

— Comment avez-vous deviné ?

Le coin de sa bouche tremblait.

Je tenais seulement à vous mettre en garde. Ce que j'ai deviné, d'autres pourraient le deviner aussi.

— Je ne quitte jamais ce collier et ces bracelets.

— La cachette est parfaite, et vous êtes en sécurité à bord de la *Joyeuse*. Nous ferons de notre mieux pour vous faire regagner Rome par les moyens les plus rapides.

La promesse était imprudente mais je souhaitais la rassurer. Elle me tendit les deux mains, dans un geste charmant.

— Comme ce sera bon d'être chez moi, d'en avoir fini

avec les angoisses et les tourments. Vous viendrez me voir à Rome, un jour, Thibaut Durtal, et nous parlerons du temps où j'étais votre prisonnière.

— En liberté surveillée...

Elle me regarda avec la candeur et l'intelligence qui m'avaient dès l'abord séduit.

— Votre jeunesse n'a été ni comblée ni rassasiée.

— Peut-être vous attendait-elle, Lucrezia.

A quelle autre femme aurais-je pu dire cela ? Sa distinction, c'était de ne connaître ni la vanité ni l'envie, et j'admirai malgré moi la sagesse du marchand afghan qui, pour parer la beauté de Lucrezia Allegri d'un trésor inestimable, avait barbouillé d'émail les rubis et les avait sertis dans une monture de fer. Je crus avoir pénétré bien plus loin que l'apparence.

— Quand vous viendrez à Rome et que je ne serai plus prisonnière d'un collier de bracelets de fer, libérée, je vous apprendrai à être jeune, Thibaut Durtal.

— Est-ce une promesse ?

— Oui.

Et elle ajouta, avec simplicité.

— Je tiens toujours mes promesses.

Je ne pouvais détourner mes yeux de ses yeux.

Je n'avais jamais aimé. Un sens aigu du ridicule m'interdisait la passion. Parfois, de crainte d'être rejeté, je n'hésitais pas à être cruel. Je me reprochais cette impossibilité où j'étais de m'abandonner à mes impulsions, de prendre et d'offrir avec un élan d'égale ferveur.

La générosité de Lucrezia Allegri m'enseignait l'oubli de moi-même, sans lequel aucun amour ne peut trouver son accomplissement. L'avait-elle compris, elle qui me disait d'une voix calme : « Votre jeunesse n'a pas été rassasiée. Je vous apprendrai à être jeune ? »

— Vous souhaitez sans doute vous reposer. Je vais vous laisser. Je viendrai vous chercher à midi.

Et j'ajoutai, en faisant tourner la clé dans la serrure :

— Enfermez-vous et essayez de dormir.

Elle me salua d'un léger mouvement de la tête. Je m'éloignai, en proie à une singulière ivresse. Ce qui venait de m'arriver était inattendu. Quelque chose naissait en moi et battait des ailes, comme un envol d'anges.

Sur le pont, je me surpris à sourire au ciel dur et

tragique, et le grand paquet de mer que je reçus en plein visage n'effaça pas mon allégresse.

L'officier en second, président de carré, le lieutenant de vaisseau Hébert, me demanda si le commandant avait donné son accord. Je lui répondis que « oui ». Le temps me parut long jusqu'au déjeuner. Loin de Lucrezia Allegri, séparé d'elle par tant de tôle et de ferraille, je savais qu'elle pensait à moi comme je pensais à elle. Je ne me défendais pas contre cette complaisance. Aucun raisonnement ne serait venu à bout de ma joie.

A midi, j'allai chercher notre passagère. Elle m'ouvrit la porte :

— Je vous attendais. J'ai beaucoup pensé à vous, ce matin, Thibaut Durtal.

Elle avait parlé italien. J'oubliai décembre, j'oubliai la guerre. Elle était la lumière et la paix. Son sourire apaisait mes craintes et venait à bout de tous les problèmes. J'avais beau essayer de ranimer ma vieille ironie, me répéter que je vivais une expérience ridicule, que je me réveillerai en riant d'une toquade sentimentale dont, Dieu merci, je n'étais pas coutumier, aussitôt que mon regard rencontrait le sien, je m'avouais vaincu.

Elle saisit exactement ce que j'attendais d'elle.

— Qu'avez-vous pensé de moi ?

De nouveau son délicieux sourire :

— Que vous êtes armé d'âme et de corps. Pourquoi, vous qui avez toutes les forces, n'osez-vous jamais être vous-même, vous seul, l'unique Thibaut Durtal ?

Au lieu de répondre sèchement, je fus surpris de m'entendre dire avec bonne humeur :

— Près de vous, il est facile d'être soi. Vous possédez là un don bien rare.

Elle me regarda avec une sorte de détresse.

— Je crains de vous décevoir. Quel est l'être au monde qui n'a qu'un visage, une voix et une vérité ?

L'œil franc, la bouche douce, elle me fixait comme un portrait du fond d'un cadre, comme une fresque au haut d'un mur d'église. Je pensai de nouveau à la *Princesse de Trébizonde*.

— Je m'efforce de ne pas mentir, Lucrezia.

— C'est pour cela que je vous ai suivi sans crainte. Je

ne mets pas votre parole en doute. Depuis que vous êtes là, si proche, je suis protégée. Aucun mal ne peut m'atteindre.

— C'est un beau compliment, Lucrezia.

Elle se retourna et prit le manteau qu'elle avait laissé sur le lit.

— Vous étiez venu me chercher ?

— Vous allez déjeuner au carré avec nous. Mes camarades seront heureux de vous accueillir.

Malgré le mouvement du bateau, elle s'avança avec la grâce effarouchée d'une biche. Elle se tenait droite. Sans qu'elle en eût conscience, j'observais ses gestes.

Elle m'attendit au bas d'une échelle et me dit, comme si elle n'avait pensé à rien d'autre depuis le début de notre conversation :

— Oui, il faudra que vous veniez me voir à Rome. Cette guerre ne va pas durer éternellement, n'est-ce pas ?

Elle me demanda encore :

— Détestez-vous les Italiens ? Vous avez de bonnes raisons pour cela...

La question m'avait pris au dépourvu. Je dis seulement :

— Vous avez payé.

La main sur la rampe de fer, elle hésitait à grimper sur le pont.

— Vous croyez donc aussi qu'il faut toujours payer ?

*
* *

Le court passage de Lucrezia Allegri dans mon existence d'*O.R.I.C.* y laissa une profonde empreinte. A quoi bon noter le souvenir des quelques repas pris au carré ? Les plus méfiants de mes camarades subirent son charme et ne jurèrent que par elle.

Avec jalousie, je retrouvais dans leur bouche les expressions dont je m'étais servi pour la juger.

— On se sent bien auprès d'elle, disait Hébert.

Les enseignes en étaient tombés amoureux. Si l'un glissait, avec un air de détachement affecté :

— Ce n'est pas mon genre de beauté...

Un autre relevait déjà :

— Devant cette femme, on a le courage d'être soi-même, sans prétention, sans désir d'éblouir.

Je souffrais de les entendre parler d'elle. Par aucun mot, cependant, ils ne l'offensaient. J'aurais voulu crier que Lucrezia Allegri nous cachait l'essentiel, qu'elle ne nous montrait jamais que le clair côté de son visage.

Deux jours plus tard, sans autre incident, nous arrivâmes devant Beyrouth. La mer était dangereuse, mais le soleil brillait sur les neiges du Liban. Etagée entre les montagnes et la Méditerranée, la ville sans beauté s'épanouissait comme une grande fleur blanche.

Le commandant me fit appeler.

Quand j'entrai chez lui, je remarquai son expression contrariée. J'attendis qu'il voulût bien me parler.

— Nous sommes arrivés à Beyrouth, Durtal.

— Oui, commandant.

Il se frotta l'oreille d'un air perplexe.

— Tout cela est bel et bon, mais je n'ai pas reçu d'instructions au sujet de notre passagère. Qu'allons-nous faire ?

La décision ne m'appartenait pas.

— Elle est sympathique, cette petite. Qu'en pensez-vous ?

— Mieux que sympathique, commandant.

Il alluma une cigarette et s'approcha du hublot.

— Ce soleil n'est pas pour me déplaire. Beyrouth est un endroit charmant. Pour en revenir à notre espionne, vous aviez l'air d'apprécier sa compagnie, au carré, et je ne vous en blâme pas. Avouez, cependant, qu'elle n'est pas à sa place sur un bateau de guerre. J'attends des instructions pur la débarquer. Que disait le télégramme : « Ralliez ensuite Beyrouth où vous recevrez instructions. » ? On n'ignore pas, à Paris, que la *Joyeuse* allait arriver ce matin à Beyrouth.

— Nous ne sommes ici que depuis trois heures, commandant.

— Si je débarque Lucrezia Allegri, à qui la confier ? Aux autorités militaires, en attendant de plus amples renseignements sur son compte ? « Régime de liberté surveillée. » La loger au « Saint-Georges » en lui adjoignant un gardien ? Ce serait la meilleure solution. Je ne peux pas la garder à bord.

— Ne songez-vous pas à envoyer un télégramme à Paris, commandant ?

— Le plus sage serait sans doute d'en passer par là.

Le matin du 30 décembre, personne ne descendit à terre. A la fin du déjeuner, qu'elle avait pris au carré des officiers, Lucrezia se tourna vers moi.

— Nous voici à Beyrouth. Qu'allez-vous faire de moi, maintenant ?

Elle avait parlé italien. Elle ne témoignait pas d'inquiétude. Tout au contraire, tranquillité retrouvée, elle paraissait à l'aise comme au sein d'un élément familier.

— Nous attendons la décision de Paris.

J'avais répondu en français. Je ne voulais pas créer, devant mes camarades, un dangereux aparté.

— Paris sera bien obligé de me rendre ma liberté. Je ne suis pas une espionne, je ne me suis livrée à aucune activité suspecte. Quelles preuves de mon innocence exigez-vous ? Il appartient à vos représentants d'interroger les responsables de mon voyage. Il est facile d'obtenir des renseignements sur mon compte et sur celui de ma famille. Votre accusation s'effondrera d'elle-même.

— Dès le premier instant, je vous ai fait confiance.

Avec un sourire, elle refusa la cigarette qu'on s'obstinait à lui offrir.

— Merci. Je ne fume pas. Thibaut Durtal, je ne demande pas qu'on me fasse une grâce en reconnaissant mon innocence. Je réclame justice.

Elle n'avait pas élevé le ton. Pourtant, l'impérieuse fierté que je découvris dans sa voix me surprit.

— Je souhaite que vous n'ayez pas à attendre cette décision de la justice que vous réclamez si haut. Sans aucun doute, vous l'obtiendrez, mais vous risquez de perdre un temps précieux.

Elle haussa les épaules.

— J'ai confiance. Que ferez-vous de moi, maintenant ?

— Nous vous rendrons votre liberté, le plus rapidement possible, j'imagine.

Les sourcils arqués, elle laissa tomber sur moi le regard de ses tranquilles yeux bruns.

— Ah ! non, ce serait trop facile. Trouver passage sur un bateau en temps de guerre pose de nombreux problèmes. Vous en faites bon marché. Ai-je tort de prier votre gouvernement d'assurer mon départ pour Rome ?

— Nous ferons de notre mieux.

Je l'avais blessée. Aurais-je dû répondre en italien ? Elle souffrait peut-être d'avoir à défendre sa réputation devant mes camarades.

— Il arrive que le mieux ne soit pas suffisant. Vous repartirez. La *Joyeuse* reprendra ses patrouilles. Je resterai à Beyrouth, dans l'attente d'un hypothétique transport qui voudra bien, au bout de quelques semaines, me ramener en Italie. Pendant ce temps, je serai en butte aux attaques de mes ennemis. Est-ce cela que vous me promettez en disant que vous ferez de votre mieux ?

Sa colère contenue m'émouvait autant que sa douceur.

Avec un serrement de cœur, je pressentais la peine et les tourments de la séparation. Je donnais raison à Lucrezia Allegri. La laisser derrière moi, dans ce port de Beyrouth que je connaissais trop bien, c'était renoncer à la tranquillité d'une bonne conscience. Incapable de prévoir l'avenir, je savais que je ne trouverais le repos qu'en apprenant son retour à Rome.

— A quoi pensez-vous ?

Elle me défiait avec une insolence triste.

— Au moyen de vous tirer de là.

— Des liaisons aériennes existent sans doute entre Beyrouth et Rome. Ne pourriez-vous m'assurer un droit de priorité ? Ma vie et ma mort en dépendent.

C'est alors que, de nouveau, le commandant me fit appeler. Lucrezia se leva en même temps que moi.

— Si vous le permettez, je vais regagner ma chambre. Je ne serai pas longue à faire mes valises.

La confiance qu'elle laissait éclater au grand jour m'inquiétait.

J'éteignis ma cigarette avant d'entrer chez le commandant. Le hublot était ensoleillé. Le bleu du ciel et de la mer, pourtant agitée, me parut un heureux présage.

— Voici la réponse à mon télégramme. Top secret et chiffrée, bien sûr... Du travail pour vous.

Et mon chef ajouta, en me lançant un regard ironique :

— Il serait superflu, je crois, de vous recommander une extrême diligence.

Je pris le texte qu'il me tendait..

— ... une extrême discrétion aussi.

Son aimable moquerie me laissait entendre du même coup :

« Je vous comprends fort bien, je vous approuve, mais ne me prenez pas pour un imbécile. »

— Bien sûr, commandant.

— Les O.R.I.C. ont la réputation d'être discrets, réputation méritée, je l'avoue. Ce télégramme nous apporte la solution d'un genre de problème qu'un marin ne rencontre pas si souvent dans sa carrière. Dès que vous l'aurez déchiffré, apportez-le-moi.

Je saluai et sortis. Je me hâtai de regagner ma chambre. Le texte ne comportait que trente groupes de cinq chiffres. J'étais impatient de connaître les nouvelles instructions que le commandant avait reçues. En une heure, je vins à bout de mon travail, je relus le message :

« De Marine Paris à aviso *La Joyeuse*. Urgent. Très secret. — Relâchez Lucrezia Allegri. Débarquez-la Beyrouth. Soupçons espionnage et trafic diamants industriels non fondés. »

A travers le hublot, un rayon de soleil me toucha. S'il était bien que l'innocence de Lucrezia Allegri éclatât au grand jour, je déplorais qu'on dût la débarquer à Beyrouth. Comment allais-je tenir ma promesse de lui assurer un prompt départ pour Rome ? Désormais je me sentais lié à cette étrangère pour mon bonheur ou pour mon désespoir.

En proie à ces sentiments, après avoir recopié le texte du télégramme, je retournai auprès de mon chef.

— Vous avez fait vite, aujourd'hui, Durtal.

— La réponse était courte, commandant.

Il prit la feuille que je lui tendais et y jeta un coup d'œil.

— Votre jeune amie est lavée de tout soupçon. A dire vrai, je n'avais pas besoin de cette preuve pour en être convaincu. Eh bien ! allez lui annoncer la bonne nouvelle. Qu'attendez-vous ?

— Les choses ne sont pas si simples, commandant.
— Que voulez-vous dire ?...
Son regard bleu me pénétra.
— En la débarquant à Beyrouth, vous l'exposez aux coups de ses ennemis...
Il m'interrompit d'un brusque :
— Qu'y pouvons-nous ? Il m'est impossible de la garder à bord de la *Joyeuse*. Elle doit le comprendre.
— Fort bien, j'imagine, mais elle prétend que nous avons assumé une certaine responsabilité envers elle. Nous avons porté atteinte à sa réputation et empêché la continuation de son voyage. Elle demande que nous assurions sa sauvegarde.
— Elle ne manque pas d'audace !...
Il domina vite son accès de mauvaise humeur.
— Audacieuse, elle l'est certes, et ce n'et pas pour me déplaire. Admettons qu'elle ait raison. Qu'y pouvons-nous, Durtal ?
J'hésitai. Après tout, le commandant me demandait conseil. Pourquoi me serais-je tu ?
— Est-il impossible d'obtenir des autorités militaires qu'on lui réserve une place sur un avion ? Les vols sont fréquents entre Beyrouth et Paris, *via* Rome.
Il hocha la tête d'un air perplexe.
— Je n'aime pas beaucoup ce genre de démarche.
Pour allumer une « troupe », il s'arrêta de faire les cent pas d'un bout à l'autre de son étroit carré. Je restai silencieux.
— Se loger à Beyrouth, comme partout ailleurs, pose des problèmes. Nous attendons des ordres pour appareiller. Je ne peux pas la laisser avec ses bagages sur le quai. Je m'occuperai de lui trouver une chambre au Saint-Georges.
Cette solution-là ne me satisfaisait qu'à moitié.
— Il ne lui manque pas d'argent, n'est-ce pas ? Quand on a suffisamment d'argent, — et surtout de dollars en bonnes espèces sonnantes et trébuchantes, — on se débrouille toujours.
Il en prenait à son aise avec les difficultés des autres.
— Par notre faute, elle va connaître des ennuis et des dangers immérités.

J'essayai en vain d'influencer sa décision. Il resta inébranlable.

— Je la conduirai moi-même à terre. Prévenez-la, Durtal.

— A vos ordres, commandant.

La porte de l'infirmerie était entrebâillée. Lucrezia m'avait attendu. Peut-être avait-elle redouté l'approche d'un danger parce qu'elle était debout et aux aguets. Quand elle me vit, son visage s'éclaira. En un instant, elle retrouva une expression de douceur et de paix, et son ravissant sourire m'accueillit.

— C'est donc vous, Thibaut ?

Ell parut soulagée d'une grande inquiétude. C'était la première fois qu'elle m'appelait par mon prénom.

— Vous êtes libre, dis-je. Le commandant m'a demandé de vous annoncer cette nouvelle. Aucune charge n'a été retenue contre vous.

Elle dit d'un air absent :

— Je le savais. Comment aurait-il pu en être autrement ?

Elle ouvrit la porte toute grande et alla s'asseoir au bout du lit.

— Maintenant, je vais quitter la *Joyeuse*. Combien de jours resterai-je à Beyrouth ?... Où irai-je ? Avez-vous posé la question au commandant ?

— Oui.

Dans un geste de prisonnière, elle avait joint les mains sur les genoux. Elle ne me demanda pas quelle avait été la réponse de mon chef.

— Je souhaite me tromper, mais c'est ici, c'est à Beyrouth, que vont se préciser les menaces dont je suis l'objet.

Je me tenais devant elle comme un coupable.

— Que puis-je faire pour vous, Lucrezia ? Voulez-vous me confier la parure ? Naples est le port d'attache de la *Joyeuse*. Il faudra bien que nous retournions en Italie. Je vous libérerai de ce fardeau.

Elle eut un sourire gris. J'enfonçai mes ongles dans les paumes pour me retenir de prendre son visage entre mes mains et de baiser ses lèvres.

— Etes-vous certain de retourner au port ? Une autre mission vous enverra peut-être loin. Ce trésor accablant ne m'appartient pas. Merci d'avoir voulu vous en charger.

Un matelot vint m'avertir que le commandant allait descendre à terre et qu'il attendait Lucrezia.

— Etes-vous prête ?

La peur, de nouveau, avait raison de sa tranquillité apparente. Et moi, je la regardais de toute mon âme comme si je n'allais plus la revoir en ce monde.

— Je suis prête.

— Ce soir, si nous ne partons pas, je viendrai au Saint-Georges vous voir. Nous dînerons ensemble. Nous célébrerons la fin de l'année.

— Oui, dit-elle, si vous ne partez pas.

Elle ne pouvait y croire. Le cœur serré, je surveillais ses expressions et ses mouvements. Elle se leva et je l'aidai à enfiler son manteau. Elle retint un soupir ; j'aurais voulu me mettre entre elle et l'adieu, entre elle et la vie, trouver pour l'y rejoindre le lieu où il n'y a pas de séparation, le pays où il n'y a plus de peur. En moins de trois jours, Lucrezia Allegri m'avait persuadé qu'il existe dans cet univers autre chose que la guerre, autre chose que l'angoisse, autre chose que la haine. Elle m'avait appris la réalité de l'amour et m'avait apporté la lumière ; j'ignorais encore que, si elle avait rompu le cercle des solitudes, c'était pour y introduire la douleur.

Alors que le désir de la tenir dans mes bras n'allait plus me laisser de repos, je n'osais pas la serrer contre moi. Elle me sourit à travers des larmes.

— Pourquoi pleurez-vous ?

— Parce que je dois vous quitter et que je ne vous reverrai peut-être pas.

— Je vous reverrai, Lucrezia.

Il n'était pas nécessaire d'étayer mon espérance. Pourtant, j'ajoutai avec force :

— La guerre va bientôt finir. Rome n'est pas loin de Paris.

Elle ne me donna pas son adresse. Je ne songeai pas davantage à lui donner la mienne. Une peur superstitieuse m'interdisait de le faire ; en défiant le destin, nous cherchions à lui ôter ses armes.

Lucrezia fit un pas pour se rapprocher de moi. Nous n'avions pas échangé de confidences ou de promesses.

Nous étions restés silencieux et nous nous étions tout dit. L'image que je gardais de la jeune Italienne était pure comme si beaucoup de larmes avaient lavé mes yeux.

Elle dit :

— Au revoir, Thibaut... Au revoir, donc.

Je mis mes mains sur ses épaules et le long de ses bras. Elle frémit et n'essaya pas de se libérer. Je remontai les affreux bracelets pour serrer ses poignets et l'attirer vers moi. Elle ne se défendit pas. Je me penchai et l'embrassai sur la bouche. Quand je couvris son visage de baisers, mes lèvres eurent le goût de ses larmes.

— Pourquoi pleurez-vous ?

Anxieux, je l'écartai de ma poitrine. Elle pleurait sans grimace d'amertume, sans la laideur du chagrin sur ses traits.

Elle secoua la tête lentement, de gauche à droite, incapable de répondre, incapable de s'arrêter.

— Répondez-moi. Pourquoi pleurez-vous ?

Je l'attirai dans mes bras et elle cacha un instant son front contre mon épaule.

— Parce que je n'ai jamais aimé...

Son regard s'efforçait de me convaincre. Sa bouche qui tremblait esquissait un sourire. Emu, je n'avais pas de mots, j'étais privé de gestes. Je dis après elle, comme elle, avec une fierté qui était l'écho de la sienne :

— Avant de vous rencontrer, je n'avais jamais aimé, Lucrezia.

Nous avions oublié Beyrouth, la mission dangereuse, l'appel du commandant. Nous avions découvert en un seul moment, nous qui n'aurions jamais dû nous rencontrer, le plus fort des liens ; déjà, le moment de le dénouer était venu.

Elle dit encore :

— Heureuse année, Thibaut.

— J'avais souhaité la commencer avec vous. Qu'elle nous soit douce et nous ramène l'un vers l'autre ! Je n'ai pas d'autre vœu.

Nous nous quittâmes avec un long regard, sans échanger de promesse. Je la vis monter dans le canot du commandant. Elle se retourna vers moi, leva la tête, me chercha sur le pont et ne fit pas un geste. Le canot prit de la vitesse. Le silence retomba.

VI

Je ne devais pas revoir Lucrezia Allegri. Quelques heures après qu'elle eut débarqué de la *Joyeuse,* l'ordre nous fut donné de repartir pour Alexandrie. Le même soir, nous appareillâmes. Ma déception fut profonde. J'avais espéré passer la soirée avec Lucrezia, m'assurer qu'elle était bien installée au Saint-Georges et peut-être même l'introduire auprès des autorités du port.

Avec le souvenir ébloui de son trop court passage, je gardai au cœur la crainte que son pressentiment ne fût trop réel et l'angoisse de la savoir seule et exposée aux machinations d'ennemis inconnus.

Le lendemain matin, veille d'une année nouvelle que j'avais souhaité commencer avec Lucrezia, le temps était resté au beau. Depuis qu'il avait regagné le bord, le commandant ne m'avait pas appelé. Un télégramme à rédiger me donna l'occasion de le revoir. Il n'était pas loin de midi, quand je me présentai devant mon chef.

— Entrez, Durtal... Entrez.

La voix était cordiale et j'y décelai un accent amusé.

— Je regrette de n'avoir pu vous faire signe hier soir. Vous auriez passé une meilleure nuit.

— J'ai passé une excellente nuit, commandant.

Mes tourments et mes joies ne concernaient que moi seul.

— Je sais, dit le commandant. Loin de moi l'idée de vous arracher une confession. Pourtant, je voulais vous parler de Mlle Allegri.

Pourquoi lui aurais-je confié mon anxiété et mon amour ? En lui demandant de compatir à des sentiments si nouveaux, j'en aurais amondri la nécessaire rigueur.

— Vous avez laissé Mlle Allegri au Saint-Georges, commandant ?

— Oui. L'hôtel est excellent. Cette jeune fille me plaît beaucoup. Je voulais vous rassurer sur son sort. Vous avez éveillé la voix de ma conscience. Certes, je ne me sens pas responsable de l'aventure où nous l'avons entraînée, mais, comme vous, j'aurais éprouvé un certain malaise si l'on était venu me dire un beau matin : « Vous savez, la jeune Italienne que vous avez eue pendant deux jours à bord de la *Joyeuse* ? Eh bien ! j'ai appris qu'elle avait été assassinée à Beyrouth... » J'étais prêt à me mettre en campagne pour éviter un semblable désagrément.

Le commandant aimait pratiquer la litote. Pour cacher une réelle sensibilité, il ne maniait l'émotion que sur un mode ironique. Autrement, suivant le conseil de Gide, « de deux mots, il choisissait toujours le moindre ».

— Cigarette, Durtal ?

Pour une fois, ce n'était pas une « troupe ». Je pris une « gauloise » d'un paquet qu'il avait trouvé à Beyrouth qui me parut délectable.

— Pour ne pas abandonner votre jeune protégée après l'avoir installée au Saint-Georges, je me hâtai de faire mes visites rituelles. J'en profitai pour aller présenter mes devoirs au colonel du train, chargé des transports. Par un heureux hasard, j'ai connu le colonel Aufray dans des circonstances qu'il serait inutile de vous raconter, mais qui n'ont pas manqué de créer des liens d'amitié entre nous. Bref, je lui parlai de Lucrezia Allegri que vous m'obligez de considérer à jamais comme la prisonnière de la *Joyeuse*. Non seulement j'intéressai le colonel à son sort, mais après avoir soulevé quelques objections il abonda dans notre sens. Comme je louais les qualités de votre protégée, il exprima le désir de la rencontrer. Nous retournâmes ensemble au Saint-Georges. J'offris un pot à la ronde. Aufray promit de prendre soin de votre jeune amie et s'engagea à la faire partir pour sa ville natale dans le premier avion qui s'envolerait vers Paris et ferait escale à Rome.

— Merci, commandant.

Je ne trouvai rien d'autre à lui dire. Par crainte de paraître sentimental, il avait affecté un ton badin. Il m'ôtait un grand poids du cœur. J'avais de bonnes raisons de croire que les épreuves de Lucrezia touchaient à leur fin. Dans quelques heures, mission accomplie, elle aurait trouvé refuge auprès de son père et échappé à ses poursuivants.

— Voulez-vous boire un pot à la santé de votre « espionne », Durtal ?

Il se détourna et alla presser sur un bouton. La vie est comme une onde que la chute d'une pierre vient troubler ; des cercles se forment et s'élargissent jusqu'aux rives, mais la surface de l'eau retrouve bientôt sa tranquille opacité.

La guerre se termina enfin. Je rentrai à Paris. Je n'étais pas retourné dans la capitale italienne. Aucun mot de Lucrezia Allegri n'était venu me toucher. Elle vivait dans mon souvenir et restait proche de mes pensées et de mon cœur.

Quand il fut question de me trouver un poste, je fis tout ce qui était en mon pouvoir pour être envoyé à Rome. Mon père avait de puissantes relations. Ma conduite pendant la guerre plaidait en ma faveur. On me nomma secrétaire en premier auprès du représentant du gouvernement provisoire de la République française. Ainsi donc, je partis pour l'Italie. Je n'avais pensé qu'à me rapprocher de Lucrezia. Dans le train, tout au long du voyage, — en octobre 1945, les communications n'avaient pas repris leur rythme d'avant-guerre, — je caressai l'illusion du revoir. La lenteur du chemin de fer me désespérait. J'avais hâte d'atteindre le but de mon voyage. Celle que je cherchais à travers les difficultés de l'après-guerre, depuis tant de mois de séparation, était au bout de l'interminable trajet.

A la gare terminus, un camarade était venu m'accueillir. Il s'appelait Jean-Emmanuel Séran. Nous nous étions connus à Sciences Po.

— Thibaut Durtal, mon vieux ! Qu'êtes-vous devenu

pendant toutes ces années ? Penser que nous allons vivre l'un près de l'autre un certain nombre de mois est bien fait pour me plaire.

Le plaisir était réciproque. Séran était un agréable compagnon et un ami sûr. Il m'apparut alors que je ne tutoyais personne et que personne ne me tutoyait. Il en avait été ainsi pendant les années de guerre. Jean-Emmanuel n'avait pas changé. Il était de taille moyenne, assez mince, l'œil vif, le teint rose. Il avait des cheveux cendrés, une bouche souriante et, malgré la plus vive des intelligences, de singulières naïvetés. Il lui arrivait toujours d'impossibles histoires.

— Connaissez-vous bien Rome, Thibaut ?

Sans le quitter de l'œil, il guidait le porteur vers une petite Fiat qu'il avait rangée au bord du trottoir.

— Je n'y suis pas revenu depuis 1939.

— Je me demande comment était cette ville avant-guerre. Je ne saurais trop vous recommander la méfiance. J'ai l'impression, fausse peut-être, que la plus grande partie de la population vit d'expédients...

Il surveilla le porteur qui rangeait mes valises au fond de la voiture.

— La misère est terrible. La vie n'a pas repris son cours normal. En fait, j'oserais affirmer que la moitié des gens à Rome vit en exploitant l'autre moitié.

Je me mis à rire :

— Ne vous est-il jamais arrivé de constater que la moitié de l'humanité vit de l'exploitation de l'autre moitié ?

Le pourboire qu'il donna au porteur devait être généreux puisqu'il lui valut des *grazie* répétés. Il s'assit au volant et ouvrit la portière de mon côté :

— Curieux, ce que vous me dites là, Thibaut... Très curieux... Je n'ai jamais exploité personne..

— Nous sommes donc dans l'autre camp, vous et moi.

Et je ris de plus belle.

— Croyez-moi, mon vieux, le champ de suppositions, dans ce domaine-là, est très limité. Mais pensez-vous vraiment qu'il y ait plus de voleurs et de filous à Rome qu'à Paris ?

En tournant la clé de contact, il me jeta un regard de biais :

— Davantage, je n'en sais rien, mais incomparablement plus rusés, plus débrouillards et plus intelligents. Si je puis vous donner un conseil, tenez-vous sur vos gardes.

Mon contentement de me retrouver à Rome était grand. J'aime la capitale italienne, la couleur même de ses murs, un ocre plein de soleil, me parut une promesse de joie. J'avais peine à croire que l'on pût y être malheureux. Cette idée saugrenue ne résistait pas à un instant de réflexion, mais je n'avais pas envie de réfléchir. Lucrezia vivait ici. C'était assez pour me rendre chers, pour me rendre doux, l'air qu'elle respirait, le décor qui l'entourait, la foule qu'elle côtoyait.

— Où me conduisez-vous ?

— Chez moi. Trouver une chambre dans un hôtel n'est pas facile. On vous y garde rarement plus de cinq jours. Je n'ai pas eu le temps de vous retenir un appartement. Le mien est vaste. Une aristocrate ruinée et retirée sur ses terres me le loue un prix raisonnable. Je ne vous imposerai pas ma présence. Vous aurez ainsi le loisir de vous mettre en quête d'un logis à votre convenance.

« La représentation française occupe le palais Farnèse, cela va de soi. Elle cherche à louer l'hôtel Plaza pour y installer les moins importants de ses membres. J'ai pensé que vous préféreriez demeurer chez moi. »

Je le remerciai vivement de sa gentillesse. Nous avions descendu la via Nazionale et comme nous nous engagions sous le tunnel qui relie cette large avenue à la via del Tritone, dans le fracas d'un trafic pourtant restreint, je n'essayai pas de me faire comprendre. Jean-Emmanuel Séran conduisait avec maestria. Lui, que j'avais connu distrait, trouvait son chemin avec désinvolture. Sa petite voiture faisait merveille.

— Marié, Séran ?

Enfin, nous avions échappé au bruit infernal du tunnel. Il tourna vers moi son bon sourire :

— Pas si bête !

Il ne me renvoya pas la question. Le soleil automnal accentuait la riche couleur dorée des murs et des rues. La température était assez chaude ; dans leurs vêtements légers, les passants avaient gardé leur hâle de l'été. La capitale italienne a peu subi de bombardements. Dès le premier abord, l'aspect de cette ville où j'avais vécu me parut familier. Il me fallut un peu de temps pour remarquer les différences. Les traces du régime fasciste s'étaient effacées. Plus d'uniformes dans les rues, d'affiches, de bannières et de proclamations, mais l'ordre avait également disparu.

Nous avions traversé la via del Tritone. Mon compagnon connaissait d'instinct les raccourcis et évitait sans hésitation les sens interdits. Un moment, au bout de la via Due Macelli, j'entrevis la place d'Espagne ; je me réjouissais de revoir en ce lieu aimé le décor qui enchantait chaque jour le regard de Lucrezia, quand Séran obliqua à gauche.

— Vous faites des prodiges, dis-je en essayant de m'accrocher à la portière.

De trop nombreux tournants et des coups de frein brutaux avaient tendance à me projeter contre le pare-brise.

— On conduit vite à Rome, dit Séran sans vergogne. C'est pour se donner l'illusion que la ville est grande.

Nous longions des ruelles étroites et démunies de trottoirs. Le soleil n'en touchait pas les murs dorés. Les femmes chargées de paniers à provisions, vides, en groupes bavards qui occupaient le milieu des venelles, se garaient sans hâte, tout en nous couvrant d'insultes méritées.

— Vous ne m'avez pas dit où vous habitiez ?

— Je voulais vous en ménager la surprise, mais vous êtes impatient. Je ne vous cacherai pas plus longtemps que j'habite place Navona.

Je hochai la tête en souriant :

— Heureux homme ! Que vous montriez tant d'empressement à rentrer chez vous ne m'étonne plus ! Cette hâte est entièrement justifiée.

Il me jeta un coup d'œil amusé :

— Vous n'avez pas changé, Durtal. Ni de visage, ni de caractère, Musclé d'âme et de corps. Armé, singulièrement bien armé...

Son attention, son analyse, m'embarrassèrent. La dernière fois où l'on m'avait mis sur la sellette, c'était à bord de la *Joyeuse,* quand j'avais subi l'examen de

Lucrezia Allegri. Elle avait employé le même mot ; elle avait dit, elle aussi : « Votre regard armé. » Mon désir de la revoir, tout à coup, ne me laissait plus en paix.

— Vous non plus, vous n'avez pas changé. Vous n'avez pas vieilli d'un jour...

C'était vrai. En outre, je savais que le compliment lui ferait plaisir.

— Ne trouvez-vous pas étrange que les êtres, en somme, ne changent guère ? On vieillit par paliers, en un seul dur moment. Mais tel est-on enfant, tel on sera adulte. Les jeux sont faits. On porte de la naissance à la mort le même visage.

Je me souvenais des paroles du commandant portugais à bord de l'*Amarante*. Ces pensées réconfortantes ne devaient pas tarder à recevoir un démenti. Si les êtres ne changent pas, pourquoi Lucrezia Allegri était-elle, seule à échapper à la règle ?

Auprès de mon ancien camarade de Sciences Po, je me réjouissais d'être à Rome. Mes contraintes se relâchaient, ma vigilance devenait moins exigeante, mon bonheur réclamait d'être assouvis.

— Que regardez-vous ainsi ? Que cherchez-vous, Durtal ?

— Une ombre...

— Vous tombez bien, dit Séran. La ville en est pleine.

Il avait quitté les venelles, où la foule faisait la queue devant de pauvres échoppes, pour retrouver les rues élégantes. Comme à Paris, les voitures étaient rares. De jeunes désœuvrés, vêtus avec une recherche dont nous avions perdu le souvenir, attendaient par groupes une mystérieuse aubaine. Quelques passantes évoquaient par leur toilette, leurs bijoux et leur luxe, la Rome d'avant-guerre. A onze heures du matin, elles étaient apprêtées comme une Parisienne au moment du dîner.

Sans chapeau, ni bas, ni gants, la plupart des femmes paraissaient misérablement vêtues. Le soleil d'octobre, chaud encore, cachait les plaies et la misère qu'aurait soulignées un janvier pluvieux.

— Le peuple de Rome a-t-il faim ?

— Je le crains. La vie est chère. Les fruits sont abondants, mais le gouvernement exporte les meilleurs. Le marché noir sévit. La nourriture de base est, comme partout, sévèrement rationnée. Il y a trop d'enfants dans ce pays. L'émigration devient de plus en plus difficile : Argentine et Etats-Unis ferment leurs portes aux Italiens. Il naît chaque année en Italie un excédent de cinq cent mille bébés que cette pauvre terre ne peut pas nourir et dont personne ne veut.

— Beaucoup de chômage ?

— Non. Pas pour le moment. Il s'agit de reconstruire. Les bombardements ont été sévères. On s'est battu d'un bout à l'autre de la péninsule.

L'explication ne me satisfaisait pas.

— Mais ces jeunes oisifs, tout au long des rues aux magasins bien achalandés, comment expliquer leur existence ? Que font-ils s'il n'y a pas de chômage ?

Un feu rouge arrêta la petite Fiat que mon compagnon conduisait si gaillardement.

— Voyons, Thibaut, dit-il, les mains sur le volant, vous avez connu la société romaine... Il n'était pas de bon ton pour un homme bien né de travailler ou même de passer un examen. Les terres qui appartenaient à la famille suffisaient à assurer aux rejetons de l'aristocratie italienne, fière de son passé et de ses alliances, une vie confortable et sans souci. Bien sûr, les conditions d'existence ont changé. Humberto II remplacera-t-il le vieux Victor-Emmanuel ? L'Italie sera-t-elle longtemps encore un royaume ? Les paysans ont pris conscience d'une liberté chèrement acquise. Ils refuseront de se laisser exploiter. Les nobles sont appauvris comme le pays tout entier. Leurs filles et leurs fils ne sont pas préparés à une vie de lutte, de travail et de compétition. On ne peut en vouloir à ces survivants d'un monde facile qui n'a plus sa raison d'être.

En séjournant dans l'Europe centrale et orientale d'avant-guerre, très influencée par la civilisation et l'art romains, j'avais connu une société ruinée par le traité de Trianon et qui se nourrissait des vestiges du passé. Incapable de faire front, elle n'avait pas prévu l'avenir douloureux qui la guettait.

— Mais comment vivent-ils ?

— D'expédients. Beaucoup vendent aux alliés, Britanniques et surtout Américains, les trésors d'art accumulés pendant des siècles par leurs aïeux. Quelques-uns, plus dignes, plus courageux, se sont expatriés. Quelques autres cherchent un travail que leur incompétence les empêche de trouver.

Il est toujours pénible d'assister à la déchéance de ce qui fut grand, et robuste ; le cœur serré, j'écoutais mon camarade.

— Demain soir, je suis invité à dîner au palais Torriti. Accompagnez-moi, vous me ferez plaisir. Si vous y tenez, vous recevrez une invitation en bonne et due forme. Les Torriti seront ravis de vous connaître et vous feront le meilleur accueil.

J'hésitai à répondre. Je souhaitais d'abord revoir Lucrezia. Si le destin me bénissait, peut-être pourrais-je lui consacrer la seconde journée de mon séjour à Rome.

— Puis-je vous donner ma réponse demain matin ?

— Ne tardez pas trop. Les Torriti sont les plus accueillants des hôtes. Ils aiment s'entourer d'étrangers. Un célibataire est partout le bienvenu.

Devant le palais Farnèse, se tenait un marché. Entre les éventaires de légumes et de fruits, la foule grouillait. Les couleurs, les odeurs et les bruits évoquaient l'Orient. Enfin, dans un grand regard satisfait et heureux, j'embrassai la place Nayona. De l'angle où je l'apercevais, la fontaine des Quatre Fleuves et l'église Sainte-Agnès forment un ensemble de l'art baroque le plus pur. Des enfants en haillons, pieds nus, jouaient au milieu de la place. Quelques-uns couraient sur un seul patin à roulettes.

— Quel palais habitez-vous, Séran ? Le palais Pamphili, le palais Lacellotti ou le Braschi ?

— Je vois que vous n'avez rien oublié, Votre mémoire me surprend. Depuis combien d'années n'êtes-vous pas venu ici ?

— Huit ans. Mais j'ai beaucoup aimé cette ville.

Incertain de ma sincérité, je me souvenais de la lassitude que j'avais éprouvée à Rome où nous retenait la carrière de mon père. La capitale m'offrait, avec son caractère de facilité, une atmosphère de vacances qui correspondait peu à ce que j'attendais d'une terre antique et d'un pays chargé d'histoire. J'avais préféré la noblesse de Florence et la gravité de Sienne.

— Au risque de vous décevoir, ma demeure n'est pas un palais.

— Demeurer place Navona et pas dans un palais ? Un véritable tour de force...

Il habitait à l'extrémité nord de la place devant la fontaine moderne décorée de groupes de divinités et de monstres marins qui fait pendant à celle du Moro, que Mari exécuta d'après un dessin du Bernin.

— Vous savez tout, Thibaut. Il est donc bien inutile que je vous fasse remarquer que les façades de ces maisons suivent la courbe de l'ancien stade de Domitien, sur les ruines duquel la place Navona a été construite.

De retour à Rome après huit années d'absence, j'étais heureux et je souriais : la guerre était finie et j'allais revoir Lucrezia. Nous quittâmes la voiture. Tandis que j'aidais mon hôte à y prendre mes valises, les enfants cessèrent de jouer et de se poursuivre avec de grands cris pour nous entourer. Ils se mirent à mendier du regard et du geste. Leur silence nous attendrissait. Leurs beaux yeux noirs étaient brillants d'intelligence. Comme presque tous les enfants européens de cette époque, ils avaient le teint malsain et l'air affamé. Plus d'un souffrait de la teigne.

— Si vous leur donnez une aumône, vous êtes fini. Et faites attention à vos bagages et à vos poches.

Et lui, le meilleur garçon du monde, les écarta avec quelques injures italiennes des mieux venues. La réponse prompte et l'insulte à la bouche, ils s'égaillèrent à regret. Leur sens de la repartie me fit sourire.

— Je ne savais pas que vous parliez si bien italien.

Il haussa les épaules.

— Voilà tout mon vocabulaire. Je ne suis ici que depuis un mois. Comme vous le voyez, j'ai d'abord appris l'indispensable.

Il poussa la grande porte.

— Pas d'ascenseur, naturellement, et la salle de bains laisse à désirer. S'il avait été moderne, cet appartement aurait été loué à quelque Américain amoureux de Rome. La cuisinière est une perle et, je lui ai adjoint une femme de ménage à la journée. Mon intérieur est très bien tenu.

Nous montâmes l'escalier large et ancien. Chaque

porte s'entrebâillait sur notre passage. Derrière nous, les commentaires devaient aller bon train. La guerre, tout à coup, me parut très lointaine

— Les domestiques, sans doute, dit mon camarade. J'habite ici depuis trois semaines et je n'ai jamais aperçu un visage.

La naïveté de Séran me fit sourire. Mon père, qui a voyagé à travers le monde et qui s'y connaît, a coutume de dire que seule la société européenne de Pékin est plus médisante et plus méchamment provinciale que celle de Rome.

L'accueil des deux servantes m'enchanta. Aussitôt, je me pris d'amitié pour elles. Les Italiennes ont une façon intelligente de servir sans aucune servilité et le mot «domestique», quand il leur est appliqué, garde son beau sens primitif. L'une s'appelait Pia. C'était la cuisinière. L'autre, qui était jeune, veuve et chargée d'enfants, avait pour prénom Margharita.

Jean-Emmanuel m'installa dans une chambre dont les hautes fenêtres s'ouvraient sur la place.

— Ignorant l'heure de votre arrivée, j'ai malheureusement accepté une invitation. Voulez-vous déjeuner ici? Pia est à votre disposition. Elle attend vos ordres.

Je pensai à Lucrezia. Retarder encore le moment de la revoir m'aurait coûté un chagrin inutile.

— Les occupations ne me manqueront pas. A quelle heure les magasins ferment-ils?

— Cela dépend. Quelques-uns à une heure trente. D'autres à deux heures. Tous sont ouverts à quatre heures et demie.

Il me regarda avec hésitation.

— Que souhaitez-vous vous procurer? Des cartes nous permettent d'avoir accès à différentes coopératives et aux P.X. américains. Vous aurez là un meilleur choix et des prix plus avantageux.

— Merci, dis-je. Il ne s'agit pas de cela.

Alors que je souhaitais être libre de courir via Condotti, ce fut moi, cependant, qui le retins :

— Trouve-t-on des taxis?

— Comme à Paris. Ils sont rares.

Il me proposa sa voiture. Je déclinai son offre.

— Rome n'est pas si grand. Cette promenade sentimentale me fera du bien.

Mon compagnon hocha la tête.

— Vous feriez bien d'acheter une voiture.

Dix minutes plus tard, je partais.

A travers la ville, je courus vers Lucrezia. Etonné et
séduit par la Rome baroque dont j'avais oublié le
charme, je longeai les rues étroites aux corniches entre-
coupées, aux lignes tortueuses, éclatantes de couleur et
pleines d'effets surprenants. Il faisait chaud. En hâtant
le pas, je m'étais désigné comme un étranger à l'attention des flâneurs. Des jeunes garçons m'accostaient pour
me proposer des cigarettes ; des adolescentes m'offraient
des stylos Parker. Je ne me laissais pas retarder. Je
prenais à peine le temps de chercher ma direction, de
jeter un coup d'œil à une fontaine ou une façade dignes
du Bernin. Avec ravissement, dans le piétinement des
carrefours, le jaillissement des voix haut timbrées, le
bruit de la radio qui m'atteignait par toutes les fenêtres
ouvertes, — les coupures de courant étaient peut-être
inconnues à Rome, — je retrouvais la capitale où
demeurait Lucrezia. Je cherchai en vain sa ressemblance
dans chaque visage de jeune fille que je croisais sur les
trottoirs encombrés ou au milieu des ruelles. Ces Romaines, héritières de tant de races, au croisement de si
nombreuses civilisations, n'avaient pas l'harmonie et la
pureté de traits qui caractérisaient la passagère de la
Joyeuse. Des boutiques de coiffeurs, cachées par leur
rideau de perles multicolores, me parvenaient de déli-
cieuses odeurs de savon de contrebande. Je m'arrêtai
pour prendre un café qui me parut bon. Je devais avoir
aux lèvres un sourire bien stupide, — celui que vous
donne la surprise d'être heureux, — car plus d'un regard
croisa le mien. Je fus l'objet de quelques plaisanteries
que, tout à ma joie, je n'essayai pas de comprendre. Les
tendances néo-renaissance, néo-baroques ou classiques,
qui ont changé Rome au dix-neuvième siècle et lui ont
donné un aspect disparate et désordonné qui m'avait
déplu autrefois, ne diminuaient pas ma complète adhé-
sion à une ville dont l'atmosphère me divertissait. Sous
mes pas, les pavés inégaux des venelles empuanties et les
trottoirs des beaux quartiers où trop de passants s'attar-

daient dans une parade sans but étaient également agréables. Un agent au casque blanc me rappela poliment à l'ordre :

— A Paris, vous ne traverseriez pas au feu rouge, monsieur.

J'admirai d'abord qu'il parlât ma langue, ensuite qu'il ne se fût pas trompé sur ma nationalité.

Dans ces sentiments d'allégresse, j'arrivai vite et sans presque m'en apercevoir jusqu'au milieu de la via Condotti. Devant moi s'envolait l'élégant et majestueux escalier qui monte de la place d'Espagne jusqu'à l'église de la Trinité-des-Monts. Le magasin du joaillier Allegri n'était plus éloigné que de quelques pas. J'avais eu dix mois entiers pour me préparer à la clarté, à la beauté de ce moment. Lucrezia, qui m'avait entraîné dans une fête imaginaire, qui avait inspiré tous mes songes, m'avait donné le pressentiment du plus parfait de mes jours. Le rendez-vous était tel que je l'avais souhaité : octobre est mon mois favori. Rome, à chaque instant, me devenait plus chère. Le soleil était au rendez-vous.

De très élégantes devantures de bijoutiers bordent la via Condotti. C'est à Rome ce qu'est à Paris la rue de la Paix. Au-dessus des étalages grillagés, je cherchai le nom d'Allegri. Un instant, le feu des pierres précieuses, la beauté des ciselures, l'art parfait des joyaux exposés, retinrent mon attention. A plusieurs reprises, regard levé, je traversai l'étroite rue. Je débouchais presque sur la place d'Espagne, quand j'aperçus deux larges vitrines aux rideaux de fer tirés. Au fronton du magasin, au-dessus de la porte, fermée elle aussi, je déchiffrai le nom : « Fabrizio Allegri, Joaillier de la Cour ». Le bijoutier, dont la santé avait donné des inquiétudes, était peut-être souffrant. La fermeture du magasin avait sans doute une autre cause que je ne soupçonnais pas. Ma joie était une fleur de pleine terre. Elle ne pouvait se faner au moindre vent.

La fermeture du magasin remontait probablement à un certain nombre de mois. En rentrant d'Afghanistan, la pauvre Lucrezia avait-elle souffert la plus grande épreuve de sa vie et appris, à l'heure même de son retour, la mort de son père ?

C'est alors que je remarquai un papier à caractère

officiel, timbré et collé sur le fer de la porte. J'eus beau essayer de le déchiffrer. Trop de pluies et de vents l'avaient déchiré et rendu illisible. Inquiet, je voulus m'adresser au gardien de l'immeuble, mais faire appel à un collègue du père de Lucrezia me parut plus sage. Une belle bijouterie occupait le coin de la place d'Espagne et de la via Condotti. J'y entrai donc. Un petit homme vif, aux yeux clairs et globuleux derrière les lunettes, s'avança vers moi. J'avais remarqué le nom du propriétaire.

— Je voudrais parler au signor Orlandi.

— Je suis Luciano Orlandi. Que puis-je pour vous ?

Je me présentai :

— Thibaut Durtal. J'arrive de Paris. Pendant la guerre, j'ai rencontré Mlle Allegri, la fille de votre voisin, le joaillier Fabrizio Allegri.

Le visage du signor Orlandi avait pâli. Le sourire s'était effacé de ses lèvres. Il baissa les paupières sur ses yeux verdâtres.

— Je suis venu. J'ai trouvé les volets fermés. Les Allegri habitaient place d'Espagne, il me semble ?

— Juste au-dessus du magasin, signor.

La voix du bijoutier avait une tonalité étouffée : il cherchait son souffle.

— Eh bien ! que s'est-il passé ?

Un malheur avait frappé Lucrezia et j'arrivais trop tard pour lui venir en aide. Je guettais sur les lèvres du signor Orlandi les premiers mots qu'il dirait. Il regarda sa montre et se tourna vers deux employés qui polissaient des étuis à cigarettes :

— Il est une heure, dit-il. Vous pouvez commencer à ranger.

Et il leva vers moi ses yeux intelligents.

— Excusez-moi...

Il alla ouvrir un grand coffre-fort. Avec des mouvements précis les employés s'occupèrent à défaire la vitrine et à serrer les bijoux dans leurs écrins.

— Nous sommes obligés de tout enfermer dans le coffre-fort avant l'heure du déjeuner. Deux fois par jour, il faut installer et déranger les devantures. C'est un grand travail, monsieur, mais cette ville est pleine de voleurs.

Avec une sorte d'admiration, il ajouta :

— Ils sont si forts, si rusés. La police n'est pas de taille.

Rien ne pouvait me distraire de mon tourment.

— Mais les Allegri... Répondez-moi, je vous en prie... Que sont devenus les Allegri ?

Il hocha la tête d'un air apitoyé.

— C'est une triste histoire, monsieur... Une bien triste histoire.

— Je vous en prie.

Je n'en pouvais plus d'attendre.

— Nous avons, de-ci de-là, recueilli des bribes d'explications qui ne signifient pas grand-chose. Un homme si honnête, monsieur. L'honneur et la gloire de notre profession. Nous avons tous témoigné pour lui. A quoi bon, quand vous avez contre vous les grands de ce monde, la puissance et l'argent ? Bien sûr, les apparences l'acccusaient. Oh ! ils n'y ont pas regardé à deux fois.

— Qui, « ils » ?

— Les juges.

Il me contemplait d'un air surpris, étonné de mon incompréhension. Il mit ma lenteur d'esprit sur le compte de ma nationalité ou du langage qui n'était pas le mien.

— Les juges ?... Mais où se trouve donc Fabrizio Allegri ?

— En prison, bien sûr... Vous ne m'aviez pas compris ?

Il jeta un coup d'œil par-dessus son épaule pour surveiller le travail de ses employés.

— Cette histoire est insensée.

— Vous le connaissiez donc bien ?

Dire : « Pas du tout », c'était me faire passer pour le lâche qui renie un ami à l'heure du danger.

— Et sa fille Lucrezia ?

Luciano Orlandi retint un soupir.

— Je ne sais pas ce qu'elle est devenue. Personne ne le sait. Elle a disparu aussitôt après le procès de son père. On ne l'a pas inquiétée.

VII

Je revins lentement sur mes pas. Le bonheur ne m'habitait plus. Je ne cherchais plus au front des passantes la ressemblance de Lucrezia. Qu'étais-je venu faire dans cette ville étrangère ? Confronter mes souvenirs avec la réalité ? Me révolter contre le destin ? Tel ces pêcheurs d'éponges qui, à la recherche du souffle, donnent enfin l'élan qui les remontera à la surface, je voulus me libérer de cet abîme. Sous une apparente confusion, les événements de la vie ont un sens. Si j'étais venu à Rome pour retrouver Lucrezia Allegri qui n'aurait jamais dû traverser ma vie, c'était, à n'en pas douter, parce que ma présence dans cette ville était nécessaire.

Quand j'arrivai piazza Navona, ma résolution s'était affermie. Une puissante certitude m'épaulait. A mon insu, les prières et le souvenir de Lucrezia m'avaient appelé auprès d'elle.

Jean-Emmanuel revint chez lui à sept heures. J'attendais son retour avec impatience. J'aurais été bien en peine de dire pourquoi.

— Eh bien ! dit-il, en entrant dans le salon aux tentures rouges et aux meubles démodés, avez-vous passé une bonne journée ? Je regrette de vous avoir faussé compagnie.

Il jeta sa serviette au hasard, se laissa tomber sur un canapé et ramena soigneusement au-dessus du genou le pli de son pantalon.

— Vous m'avez l'air sombre, Durtal. Une nouvelle désagréable ?

Je fis un geste vague. S'il m'en coûte toujours de me confier, il valait mieux taire l'histoire de ma rencontre avec Lucrezia Allegri, de notre accord secret et de sa disparition.

— Je parie que vous n'avez pas déjeuné ?

J'avais oublié de déjeuner.

— Et comme les wagons-restaurants appartiennent au rêve du passé et aux mirages de l'avenir, cela veut dire que vous n'avez rien mangé depuis Paris.

Brave Séran ! J'aimais qu'il me parlât ainsi. Je ne devais faire ni l'effort de lui répondre, ni celui de l'écouter.

— La gourmandise est le dernier de mes vices. Pourtant, si je saute deux repas, mon moral s'en ressent aussitôt. Nous allons appeler Pia et aviser. Dites-moi ce qui vous ferait plaisir, Thibaut ?

— N'importe quoi. Je n'ai pas très faim.

Mon compagnon se mit à rire.

— Cette romantique maigreur vous sied. Loin de moi l'idée de vous encourager à grossir, mais votre mine est peu brillante. N'allez pas vous présenter demain à M. le représentant du G.P.R.F. (1) avec cet air de l'autre monde. Ici, on aime la gaieté. A propos, dînerez-vous avec moi demain chez les Torriti ?

— Volontiers.

J'avais espéré passer la soirée avec Lucrezia. Déjà, ma conscience me reprochait de gaspiller un temps précieux que j'aurais dû consacrer à sa recherche.

— Bravo ! Restez là. Je vais consulter Pia et téléphoner aux Torriti.

En quittant le salon, il alluma les lustres comme pour m'entourer d'une illusoire impression de fête.

Il ne tarda pas à revenir. Il y avait en lui je ne sais quoi d'alerte. Ses cinq sens étaient toujours aux aguets. Pourtant, il donnait également une impression de contentement, reflet d'une conscience satisfaite. Ses élans

(1) Gouvernement Provisoire de la République Française.

92

de générosité ne manquaient jamais de délicatesse, et si son intuition était souvent en défaut, — et parfois son jugement, — c'est que, le mal n'existant pas en lui, il était incapable de le reconnaître chez les autres.

— Pia vous prépare un en-cas magistral, dit-il en tirant les tentures. Les Torriti seront ravis de vous accueillir. Le dîner est à huit heures et demie.

— Tenu de soirée ?

— Oui. Nous ne serons qu'une dizaine. A propos, le comte Orlando m'a demandé si vous étiez amateur de peinture ?

— Modérément.

— Il a de très beaux Bronzino. Il semble que ce peintre ait beaucoup travaillé pour les Torriti. Leur famille était alors alliée aux Médicis.

Jean-Emmanuel alluma une cigarette et vint s'asseoir auprès de moi.

— Vous préférez les « gauloises ». Dommage. Il est facile de se procurer ici tout le tabac blond que l'on peut désirer.

Sa cigarette s'était éteinte. Je lui donnai du feu. L'œuvre du Bronzino est connue. Nos musées de province conservent quelques-unes de ses peintures.

— Vous ne vous trompez pas. Orlando Torriti est très fier des portraits qu'il a hérités des siens. Il possédait en Toscane une villa qui fut endommagée par les bombardements. C'est là, dans un atelier secret mis à nu par les démolitons, qu'on découvrit ces toiles.

— Des portraits ?

— Oui... presque exclusivement. Vous verrez : ils sont fort beaux.

— Parlez-moi des Torriti, maintenant, si vous le voulez bien.

Je cherchais à me distraire, à m'enivrer de paroles et à oublier Lucrezia. Le lendemain, reposé et de sang-froid, je pourrais faire face au problème que posaient sa disparition et l'arrestation de son père. Si j'allais le voir en prison, il me donnerait sans doute de précieux renseignements. Lucrezia ne m'avait-elle pas dit que sa sœur mariée habitait Viterbe ? Une confiance renaissante me poussait à l'action.

Pia entra, en tirant un chariot chargé de zakouskis appétissants.

— Nous dînerons dans moins de deux heures. Ne vous coupez pas l'appétit. Néanmoins, cet en-cas vous permettra d'attendre.

Il me versa un verre de campari.

— Les Torriti, me disiez-vous ? Deux cousins, célibataires tous les deux, occupent le palais ancestral. J'aime le comte Orlando. Le prince Arnoldo est moins à mon goût. Les Torriti sont cultivés, hospitaliers et de bonne compagnie.

Pia, qui venait de m'offrir un plat de sandwiches, avait à la dérobée tendu la main en faisant, l'index et le petit doigt dressés, le geste si romain des deux cornes. Elle avait lancé à son maître un regard moins effrayé que furieux, comme si elle l'eut maintes fois et sans succès mis en garde. Séran se mit à rire.

— A en croire Pia, les Torriti sont « jettatore ». Pia voudrait empêcher nos rencontres. Elle prétend qu'ils ont le mauvais œil et qu'ils portent malheur.

— Si j'étais seule à le prétendre, dit la cuisinière d'une voix qui avait haussé d'un ton, je comprendrais que Monsieur n'y prêtât pas attention, mais toute la ville de Rome, — que dis-je ? — toute l'Italie vous en dirait autant. Il ne faut pas vous moquer de ces choses. Un jour, il vous arrivera malheur et Pia vous aura en vain prévenu.

Elle quitta le salon en marmottant une phrase incompréhensible.

Je ne pus m'empêcher de sourire :

— La guerre n'a pas changé les Romains.

— Une superstition, une fois ancrée dans l'esprit populaire, ne s'en détache pas facilement. Cela ne vaut pas seulement pour Rome, mais pour le monde entier. Je dois vous confier, à la décharge de Pia, qu'elle n'est pas seule à croire que les Torriti sont « jettatore ». Quand Orlando et Arnoldo entrent dans un salon, les gens de la meilleure société se livrent aussitôt à ce geste singulier qui prétend conjurer le mauvais sort.

— Et l'origine de cette croyance ?

— Vous m'en demandez trop. Je ne suis romain que de fraîche date. Un fait est certain. Aucune superstition ne tient devant le plaisir de se rendre chez les Torriti. On y fait bonne chère. La maison est largement ouverte. Interrogés, les plus crédules des Romains vous diront qu'on ne refuse pas une invitation, qu'il faut amadouer un « jettatore ». Le prince joue volontiers les mécènes et aime s'entourer d'artistes, de peintres surtout. Vous rencontrerez chez eux des Américains, des Anglais. Entre nous, la conduite des Torriti sous Mussolini et pendant la guerre n'a pas été sans reproche, mais, alors que de moins grands personnages ont dû s'exiler, la mémoire des hommes est ainsi faite qu'on les a très tôt blanchis et que leurs peccadilles ont été oubliées.

Prêt à me rallier au point de vue de Pia et à éviter de trouver les Torriti sur mon chemin, je reposai mon verre de campari :

— N'avez-vous jamais rencontré Leurs Altesses royales le prince Renato et la princesse Sophie ? Celle-ci est née grande-duchesse, cousine du dernier tsar et alliée à toutes les familles royales d'Europe.

Ma question étonna Séran.

— Ils voyagent au Portugal, m'a-t-on dit. Il est curieux que vous parliez d'une grande-duchesse, quand le dîner de demain est donné en l'honneur d'une supposée grande-duchesse Olga qui serait une des filles du tsar, rescapée, par miracle, du massacre d'Ekaterinbourg.

« Je sais ce que vous allez me dire : ces histoires ne convainquent plus personne. La grande-duchesse Olga était infirmière dans un camp de réfugiés. Une mission de la Croix-Rouge américaine l'aurait découverte en Allemagne. L'aristocratie romaine se passionne pour son cas. Les Torriti se sont faits ses champions. Êtes-vous curieux de la rencontrer ?

Je l'étais tout à coup. Par les Torriti, défenseurs d'une mystificatrice, je parviendrais peut-être à découvrir la vérité sur l'arrestation de Fabrizio Allegri et la disparition de sa fille. L'impatience de nouveau m'agitait. Je dormis mal cette nuit-là. D'étranges voix criaient au fond de mes rêves. Le sentiment que je n'étais pas seul dans ma chambre me réveillait. Je pensai à Lucrezia qui, après l'attentat du train entre Peshawar et Lahore, n'avait pu dormir sans cauchemar et j'aurais voulu la protéger des terreurs de l'obscurité. Bientôt, renonçant au repos, j'allumai une lampe et m'efforçai de lire. La journée du lendemain passa vite. Je me présentai au représentant du G.P.R.F. qui tenait lieu d'ambassadeur. Au palais Farnèse, je retrouvai quelques camarades. On me mit au courant de mon travail. On m'invita pour les jours suivants.

Le soir venu, nous rentrâmes à pied piazza Navona. Le temps s'était gâché. Le soleil sombrait dans un ciel menaçant où fuyaient des nuages. Sous la lumière du couchant, la place aux fontaines silencieuses prenait une riche patine d'or et de pourpre. Des enfants, en équilibre sur un patin, nous bousculèrent en se poursuivant. Des papiers sales et des feuilles apportées par le vent emplissaient les bassins où croupissait une eau verte.

— Je vous parle, Durtal. Qu'avez-vous donc, aujourd'hui ?

Je le priai d'excuser mes distractions.

— Si cette soirée chez les Torriti vous déplaît, je vous en prie, ne vous croyez pas obligé de m'y accompagner. Le comte Orlando comprendra très bien les raisons que je donnerai de votre absence.

Sur la première marche de l'escalier que le déclin du jour touchait d'une clarté presque conventuelle, changeant ses humbles carreaux en un prestigieux vitrail, je m'arrêtai et me retournai vers lui.

— Ne m'en veuillez pas, mon vieux. J'étais venu à Rome avec un projet bien précis qui vient de s'écrouler comme un château de cartes. Quant au dîner des Torriti, je me réjouis d'y assister.

Jean-Emmanuel ne parut pas rasséréné.

— Il fallait le dire, Durtal. Si je puis vous être de quelque utilité, n'hésitez pas à m'appeler. Je suis à votre entière disposition.

Touché par la générosité de son offre, je le remerciai avec chaleur. Il mit la clé dans la serrure et ouvrit devant lui la porte de l'appartement.

— Que diriez-vous d'un whisky ?

Il regarda sa montre.

— Nous avons bien le temps.

— Vous m'avez dit, hier, que les représentants de l'aristocratie italienne, souvent ruinés, étaient mal préparés à la lutte pour la vie. Les Torriti échappent-ils à cette règle ?

Mon compagnon, qui mordillait une petite peau à l'index de sa main droite, fit la grimace.

— Voilà une question délicate. Certains vous diront que les Torriti ont mangé à tous les râteliers, fascistes avec Mussolini, royalistes avec le roi, pro-allemands au temps des nazis, pro-alliés depuis que le vent a changé, et que c'est là un bon moyen de garder sa fortune. D'autres s'étonnent de les voir mener une existence large et quelquefois fastueuse. Je ne connais pas la réponse.

Le portrait que me traçait Jean-Emmanuel n'était pas engageant.

— Vivent-ils d'expédients ?

— Leur nom n'a jamais été associé à aucun trafic. C'est plus que l'on pourrait en dire de beaucoup de Romains d'une lignée illustre.

— Vous êtes sévère.

Jean-Emmanuel se défendit avec feu.

— Un conflit mondial vient de finir. Il a duré trop longtemps. La guerre n'est pas une école de morale. Ici, la misère a été plus profonde et la confusion plus grande encore. Les hommes ne sont pas des saints, Thibaut. Nul n'est le juge de la tentation d'autrui. Si la route de Naples à Rome n'est pas sûre et qu'on risque d'y tomber sur des bandes armées comme aux plus beaux jours du Moyen Age, il s'est commis et se commet encore bien des cruautés en France.

Je ne répondis pas. Un seul problème me tourmentait.

Mon compagnon avait enfin arraché la peau de son ongle.

— Personne n'empêchera jamais les Romains de bavarder. Les Torriti ouvrent leur palais à de nombreux Américains ; pressés par la nécessité, ils n'hésitent pas à se séparer de leurs plus chers trésors.

— Est-ce pour cela qu'ils vous ont demandé si je m'intéressais à la peinture ?

— Depuis que je les connais, ils ont déjà vendu deux de leurs Bronzino. Ces toiles prennent aussitôt le chemin des Etats-Unis. Excellent moyen entre nous de protéger notre patrimoine européen des destructions à venir. Y voyez-vous quelque inconvénient ?

— Aucun.

Peu avant huit heures et demie, nous descendîmes l'escalier.

— Vous ne m'en voudrez pas de vous imposer cette marche. En garant dans la rue, ma Fiat, je craindrais trop d'y perdre mes pneus, les portières, le châssis, le moteur et quelques autres accessoires.

L'idée me parut drôle et c'est de bonne humeur que je me rendis chez les Torriti. Je m'attendais à recevoir d'eux le fil d'Ariane qui me conduirait jusqu'à Lucrezia.

— Ne serons-nous pas en retard ?

— L'exactitude n'est pas la vertu des oisifs. Nous arriverons les premiers.

Le palais Torriti était situé sur le corso Vittorio-Emmanuele. Bien qu'il fît sombre, — la lune n'était pas encore montée dans le ciel et les lumières de la rue donnaient peu de clarté, — je pus deviner l'élégance de sa façade et de son entrée à colonnade.

— Du beau seizième siècle, dit Séran d'une voix presque religieuse. Ce palais a beaucoup de charme.

Au seuil, la porte franchie, nous fîmes une pause. Des lampes anciennes éclairaient la perspective de deux cours successives. Le portique et le vestibule étaient décorés de fresques aux teintes effacées qui tiraient de la pénombre un mystérieux relief.

— Le comte Orlando habite l'appartement du premier au-dessus du vestibule. Le prince, l'appartement du deuxième. Ils louent le reste du palais. Regardez bien la façade et la loggia.

Du milieu de la cour, je levai les yeux.

— C'est là que vit Orlando Torriti. Cette partie de l'édifice est attribuée à Raphaël. Les plafonds à poutres apparentes ont été peints par Lorenzetto, son élève. Les vieilles demeures romaines sont lourdes de passé et d'histoire.

Mon compagnon monta devant moi un escalier en pierre aux marches doucement incurvées par l'usure. Mon ravissement lui avait plu. Si Lucrezia m'avait attendu sous la loggia, pure et belle comme la simplicité, je n'aurais pas crié au miracle. Comme un amoureux d'un autre temps, je bâtissais cette demeure autour de sa beauté.

— Connaissez-vous une femme qui ressemble à la *Princesse de Trébizonde?*

— Je ne l'ai pas tout à fait en mémoire dit mon compagnon en riant.

Le maître d'hôtel nous introduisit dans un salon au plafond bas et aux solives apparentes où brillaient encore l'or, les bleus et les rouges des peintures de Lorenzetto. Le dessin des parquets anciens en bois de Hongrie attirait le regard. La pièce était éclairée d'une façon discrète, mais avec un art si sûr qu'il mettait en valeur la sobre richesse des meubles et la vie des tableaux.

— Eh bien! qu'en dites-vous, Durtal?

— Merveilleux décor pour...

L'entrée du maître de maison m'interrompit. Sa relative jeunesse m'étonna moins que la franchise de sa physionomie. Je m'étais fait de lui une idée bien différente et je comprenais que Séran lui témoignât une sympathie à l'épreuve de toutes les médisances.

— Ravi de vous recevoir chez moi, monsieur. Un ami de Jean-Emmanuel sera toujours le bienvenu ici. Vous venez d'arriver à Rome, n'est-il pas vrai?

Il s'exprimait dans un français choisi. Il n'était pas grand, mais la taille bien prise et si droite qu'on ne l'eût pas appelé petit. Il avait une voix agréable.

— Asseyez-vous donc. Mon cousin et ses invités ne tarderont pas à descendre. Je les entendais rire de chez moi.

Un domestique entra, en poussant un chariot chargé de bouteilles.

— Ne vous étonnez pas de ce choix, dit Orlando Torriti, comme s'il eût lu ma pensée. Mes amis étrangers ne me laissent manquer de rien. Whisky?... Un dry?... Ou peut-être préférez-vous un champagne-cocktail? Matteo les réussit fort bien.

— Excellente idée, dit Jean-Emmanuel avec enthousiasme. Un champagne-cocktail pour réveiller Durtal qui n'est pas encore remis de son voyage.

Orlando Torriti n'eut pas à donner d'ordre. Le domestique nous avait compris.

— Peut-être devrais-je vous parler de mes invités de ce soir. Le colonel Pierson, un Américain, nous honorera de sa présence. Comme sa femme ne l'accompagnera pas, j'ai demandé à ma vieille amie, la comtesse Selényi, de nous amener sa jeune protégée. L'avez-vous déjà rencontrée, Jean-Emmanuel ? C'est une charmante enfant. Elle parle français, ce qui ne sera pas pour vous déplaire. Bien sûr, vous retrouverez chez moi le peintre Maderno. Il a un très grand talent.

— Et la grande-duchesse Olga ?

Le comte prit la cigarette que je lui offrais.

— Merci... Mais oui, vous verrez la grande-duchesse Olga.

Il se pencha vers nous et son ton s'abaissa jusqu'au murmure :

— J'en arrive à croire que cette malheureuse créature est la fille du tsar. Vous me donnerez votre avis. Au début, j'étais sceptique. Maintenant, je n'en peux plus douter. Je suis prêt à parier tous mes biens sur l'identité de la grande-duchesse. Depuis que je la connais, que je la vois chaque jour, moi l'incrédule, je sens mes hésitations se dissiper. La conviction me gagne qu'accuser cette femme de supercherie, c'est la condamner une seconde fois au massacre affreux d'Ekaterinbourg.

Le domestique vous présenta les verres où pétillait le champagne.

— Vous permettez que je le goûte ? dit le maître de maison.

Et après y avoir trempé les lèvres, d'une voix différente, en italien et tourné vers Matteo, il le reprit sèchement :

— Ne t'ai-je pas dit mille fois de mettre moins d'angustura ? Ce coktail est imbuvable.

J'avais été sous le charme de sa personnalité et de sa rapide intelligence. Le changement de physionomie me laissa stupéfait. Cette petite contrariété — en était-ce vraiment une ? — avait durci ses traits et transformé, autant que sa voix, le dessin de sa bouche. Les Latins, il faut bien le dire, sont facilement vulgaires. La colère transformait son teint, ses traits, ses gestes dont la franchise m'avait conquis. L'éclat magnifique de ses yeux bruns lui donnait un air de rapace. Je cherchais en vain à retrouver la qualité d'un être qui, au premier abord, m'avait séduit. Alors, je remarquai les mains du comte et elles me déplurent. Malgré leur aspect soigné, elles devaient faire mal. Je pensai, Dieu sait pourquoi, à des doigts de tortionnaire.

— Peu de femmes, ce soir, dit Jean-Emmanuel, gêné par l'interruption et qui s'efforçait, en bon diplomate, de retrouver le climat agréable qui avait marqué le début de notre conversation.

— Je le déplore, croyez-le bien. Ma cousine Giulia m'a fait faux bond au dernier moment.

Il avait retrouvé en un instant une expression ouverte et plaisante. Il dit d'un ton confidentiel :

— Je songe à me marier et je pousse Arnoldo sur la même voie. Les célibataires font de mauvais maîtres de maison.

Poliment, nous nous récriâmes d'une seule voix.

— Voici mes invités.

L'extrême finesse de son ouïe me surprit. Je n'avais rien entendu. Le salon s'emplit de présences inconnues. Des conversations en quatre langues se croisèrent, décousues et brillantes.

— Comme Votre Altesse a été bonne de m'amener sa compagne... Si Votre Altesse le permet, je lui présenterai deux diplomates français de mes amis.

Nous nous approchâmes de la grande-duchesse Olga. Elle n'avait pas cinquante ans. Ses cheveux blancs et la noblesse de son port lui conféraient beaucoup de distinction. Les yeux noirs, la physionomie sensible, elle évoquait la ressemblance de Nicolas II. Timide ou apeurée, elle regardait souvent le prince Arnoldo, comme pour mendier de lui un encouragement ou un conseil. Nous baisâmes la main qu'elle nous tendait. Sans la confondre avec l'infortunée princesse dont elle usurpait le nom, il me parut qu'en m'inclinant devant elle je saluais, toute la détresse humaine. Victime ou simulatrice, cette femme avait beaucoup souffert.

— Bonsoir, messieurs. Voici ma compagne de captivité : Mlle Maria-Angela Verdesi...

La grande-duchesse parlait français avec un accent russe. Son regard avait une tristesse indicible. A ce seul trait, j'aurais peut-être reconnu le sang slave. J'aimais moins la signorina Verdesi.

Le colonel Pierson était un intellectuel. Un verre de

whisky à la main, il passait en revue les tableaux et les meubles. Les Torriti buvaient ses paroles et applaudissaient avec servilité. Sans doute voyaient-ils en lui un acheteur possible. Un très beau Bronzino, — *Le Portrait d'un sculpteur,* — digne de celui du Louvre, brillait dans la pénombre. Je m'étonnai qu'on ne l'eût pas éclairé et mis en valeur.

— Vous ne connaissez ni mon cousin Arnoldo ni son protégé, le grand peintre Luigi Maderno ? dit le maître de maison en s'adressant à moi.

Le prince Arnoldo était un homme grand, brun et efféminé. Certain qu'il obéissait en toutes choses aux suggestions de son cousin, dès le premier instant, je parvins à l'effacer de ma mémoire. Luigi Maderno, par contre, avait de la force et de la présence. Que cet homme rude, à la carrure d'athlète, fut un artiste n'avait pas de quoi me surprendre. L'artiste authentique est avant tout un être d'action.

De tous les personnages qui m'entouraient, Luigi Maderno était le plus vrai. Le smoking ne lui seyait pas. Il avait beau se raser, un poil roux déjà envahissait ses joues. Sa trempe rejoignait d'une certaine façon la qualité de la grande-duchesse. En jetant les yeux autour de moi, je me demandai ce que j'étais venu faire dans ce palais. Je n'y étais pas à ma place. Une nostalgie de la *Joyeuse,* du commandant d'Harleville, un besoin d'air pur et de large me serrèrent la gorge et j'éprouvai une incompréhensible tristesse.

Le maître d'hôtel venait d'ouvrir la porte avec une exclamation ravie, Orlando Torriti se retourna :

— *Cara... Carissima mia.*

La très chère ne passait pas inaperçue. Elle portait un peplum de mousseline safran. La grâce transparente du vêtement dissimulait mal l'embonpoint et les formes naufragées. La comtesse Dorottya Selényi n'était plus jeune. Laide, elle ne manquait pas de caractère ni d'originalité.

— Venez, venez, chère Dorottya. Laissez-moi vous présenter ces jeunes gens. N'aimez-vous pas les diplomates ?

— Je n'aime pas les Français, dit la comtesse.

L'abus de l'alcool avait cassé sa voix.

— Sans le traité de Trianon, messieurs, sans votre horrible Clemenceau, ma famille n'aurait pas perdu ses biens. Je ne serais pas une pauvre exilée dans cette Rome où il faut tant d'argent pour vivre.

— Avez-vous pu vous enfuir de Budapest depuis l'arrivée des Russes, madame ?

Elle tomba dans le piège.

— Non. J'ai cherché refuge à Rome en 1938. Je ne pouvais plus exister en Hongrie. Le partage des terres et autres fariboles...

— Vous devez peut-être la vie au traité de Trianon et à notre horrible Clemenceau, s'il en est ainsi.

Elle me regarda pour voir si je plaisantais, hocha sa tête aux cheveux gris coupés à la garçonne et se mit à rire en appuyant la main sur mon épaule :

— Battue, mon petit. Vous m'avez battue. Je n'aurais pas dû dire que je n'aimais pas les Français. Mon premier mari était votre compatriote.

Elle s'était abondamment parfumée au cuir de Russie.

— Matteo... Un autre dry, s'il te plaît...

Elle se pencha à toucher mon oreille :

— Ce colonel Pierson est-il marié ?

— Il me semble que oui.

Elle rit de nouveau :

— Dommage... J'ai déjà eu quatre maris. Jamais un Américain. Une de mes amies roumaines me répétait toujours : « Pour le flirt, n'importe quel Européen fera l'affaire, mais, crois-en mon expérience, Dorottya, n'épouse jamais qu'un Américain. » Qu'en pensez-vous ?

Gagné par son curieux humour, j'avais pourtant quelque peine à me mettre au diapason des hôtes du palais Torriti.

— Mon avis sur la question ne ferait pas force de loi. Je suis de l'autre côté de la barricade.

Avec un grand éclat de rire, elle prit le verre que lui présentait Matteo et le vida d'un trait.

— Ah ! dit-elle, en passant une langue gourmande sur ses lèvres, voilà ce qu'il me fallait. Je n'aime pas vos champagne-cocktails et vos liqueurs sucrées, mais j'aime votre esprit. C'est ce que je répétais toujours à Pierre. Je pouvais lui pardonner bien des choses parce qu'il m'amusait.

Jean-Emmanuel s'entretenait avec la grande-duchesse. Mlle Verdesi ne la quittait pas d'un pas. Quand mon camarade posait une question, Maria-Angela Verdesi ne laissait à la Russe, aucune chance de placer un mot.

Le comte Orlando passa entre les groupes en disant un mot aimable à chacun. Entre ses longs cils un long regard caressant semblait distinguer chaque être et chaque visage. Je m'étonnais de l'avoir trouvé sympatique au premier abord.

— Cara Dorottya, que devient votre protégée ? Nous n'attendons plus qu'elle pour passer à table. Ne me dites pas que vous avez omis de l'inviter de ma part ou qu'elle a oublié de venir ?

La comtesse Selényi se tourna vers lui. Le peplum safran était plein de taches. Elle portait des sandales à la grecque et, sous les bandes de cuir doré, ses pieds nus étaient sales.

— Vous savez que je ne puis me passer d'elle, Orlando, mon cher. Elle est la prunelle de mes yeux et mon bâton de vieillesse. Grâce à ma jeune compagne, ces deux derniers mois ont été un enchantement. Je l'ai envoyée chercher un médicament dont j'avais un besoin urgent... Tenez... Que vous disais-je ?... La voilà.

Orlando Torriti s'empressa pour aller à la rencontre de l'arrivante que la comtesse Selényi, de toute sa masse imposante, m'empêchait de voir. J'aperçus des cheveux blond platine, des cheveux teints. Le maître de maison avait conduit l'inconnue vers le colonel américain, le prince Arnoldo et le peintre. Tous trois, les yeux levés, admiraient le portrait peint par le Bronzino. Elle disparut dans leur groupe.

— J'espère que nous n'allons pas tarder à nous mettre à table. Je meurs de faim.

Un pressentiment m'étreignait. Qui était l'inconnue aussitôt entourée par quatre hommes ? Si l'on m'avait dit : « C'est pour elle que vous êtes ici. Elle détient vos secrets. Elle va vous conduire vers Lucrezia Allegri », je n'aurais pas davantage été troublé. L'atmosphère de cette cour des miracles, où un léger vernis et des vêtements de soirée cachaient mal les infirmités, se défaisait autour de moi. Seule surnageait cette chevelure blonde comme celle d'une noyée au fil glauque de l'eau.

Je voyais mieux la toilette de l'inconnue, une robe d'organza d'un vert presque jaune, d'un vert semblable à ceux du Greco. Une écharpe, qui partait d'une épaule, laissait l'autre nue. J'admirai l'élégance de la jeune femme, une élégance dont elle n'avait pas conscience.

— N'est-ce pas que ma jeune protégée est charmante ? Il faut que vous la connaissiez.

Et la comtesse Selényi, d'une voix éraillée, l'appela :

— *Carissima...*

La blonde inconnue se retourna et s'avança vers nous. Son sourire dur s'était affaissé au coin de sa bouche comme une fleur fanée, ses yeux brillants fixés sur moi ne me voyaient pas, ses traits s'étaient altérés sous le rouge dont elle avait fardé ses joues. Je l'aurais reconnue entre toutes, malgré le bleu des paupières, malgré les cheveux teints et les ongles écarlates. Pourquoi ce masque vulgaire me cachait-il Lucrezia Allegri ? Dix mois de vie nous séparaient. Loin de moi, elle s'était enfoncé dans les ténèbres.

Orphée aux enfers n'avait pas eu le droit de regarder Eurydice. Je pensai au prince de Lusignan. Ce roi de Jérusalem qui tenta de percer le secret de son épouse, Mélusine, de l'autre côté de la septième nuit, y perdit son bonheur et sa paix.

— Lucrezia, disait la comtesse Selényi, vous n'avez pas comme moi de préjugés contre les Français. Ce jeune homme est diplomate. J'ai mal entendu votre nom, monsieur... Monsieur... ?

— Thibaut Durtal.

Lucrezia dit avec netteté, et ses yeux brillants continuaient à me regarder sans me voir :

— Et, moi, je m'appelle Lucrezia Montauti.

VIII

En m'avançant dans la salle à manger, le chagrin et la colère m'agitaient. Je refusais de reconnaître la flétrissure d'un être vers qui j'avais levé les yeux comme on regarde un ciel.

A table, j'étais assis devant elle. Son visage n'avait aucune expression. Je ne doutais pas qu'elle ne m'eût reconnu. Qu'était devenue la prisonnière de la *Joyeuse* qui devait m'apprendre la jeunesse au rendez-vous de Rome qu'elle m'avait assigné ?

Seuls, le mouvement de la tête et la grâce inchangée du corps évoquaient Lucrezia Allegri. Près d'elle, je ne ressentais plus le bien-être dont elle avait su m'envelopper.

Assise à côté de Jean-Emmanuel, elle penchait vers lui son visage encadré de longs cheveux platine et ne l'écoutait pas. Les bijoux de pacotille qui remplaçaient les bracelets et le collier de fer du marchand Shéhabî ne me plaisaient pas davantage. Avec une appréhension que je me reprochai, puisqu'il n'y avait plus rien de commun entre cette femme et moi, je regardai sa main gauche. elle n'y portait ni alliance ni bague. Pourquoi s'appelait-elle Lucrezia Montauti ?

— Avez-vous remarqué les mosaïques de la salle à manger, monsieur Durtal ?

On avait servi des pâtes. Je n'ai jamais appris à les rouler adroitement sur la fourchette à la manière italienne. L'appétit me faisait défaut. J'aurais voulu fuir la présence de Lucrezia.

— Je vous demande pardon.

Le comte Orlando avait répété sa question. Comme au Portugal, dans les quintas et les palais, les murs de la salle à manger, jusqu'à mi-hauteur, étaient recouverts d'azulejos très anciens et très beaux.

— Notre nom Torriti ne vous a-t-il rien rappelé ? Notre aïeul était, au quatorzième siècle, un mosaïste célèbre. La richesse d'invention de ses compositions et le sens des couleurs dont il était doté lui valurent une grande renommée. Ce palais, qui fut dessiné par Raphaël, est du seizième siècle, mais les mosaïques qui ornent notre salle à manger ont été transportées d'une villa de la campagne romaine où l'artiste, notre aïeul, aimait se reposer. Incrustées dans ces murs, elles furent ainsi sauvées d'une complète destruction.

— Quelle joie pour les yeux ! dis-je avec sincérité.

Le colonel Pierson paraissait se poser des questions. Peut-être voyait-il, en imagination, de semblables mosaïques dans sa villa de Nantucket ou son appartement de la 80e rue Est.

Contre le dessin des hauts sièges à l'espagnole, la blondeur artificielle de Lucrezia tranchait sans grâce. Les tons de sa robe et de sa peau, par contre, s'alliaient au cuir de Cordoue d'un or verdâtre et d'un rouge effacé. Avait-elle troqué son âme contre la fausse monnaie du luxe et de la richesse ? Avait-elle joué son droit d'aînesse — une ardente pureté, une noblesse naturelle — pour le plat de lentilles que lui offrait une société dont les titres ne couvraient que la corruption et la vulgarité ?

Alors, je me souvins qu'elle avait dit au marchand de Kaboul : « Vous aimez les objets et je ne tiens qu'aux êtres... »

— Lucrezia... *Carissima mia*...

La voix tendre, les yeux caressants d'Orlando, me tirèrent de mon rêve. Lucrezia tourna vers lui son visage glacé. Je ne sais ce qui se passa entre ces deux êtres. Il faisait fi de notre présence. Un même appel poussait leurs deux corps l'un vers l'autre et unissait leurs lèvres.

La volonté d'Orlando avait raison de Lucrezia. Avec l'affreuse soumission des femmes, elle s'inclinait devant lui. Il criait à la face du monde qu'elle lui appartenait, et qu'il en éprouvait moins de joie que de méprisante pitié.

— Que désirez-vous ?

Le timbre de sa voix était fatigué et humble. Le séducteur avait, en peu de temps, corrompu Lucrezia Allegri. Le cauchemar contre lequel je me débattais devait cesser et la pureté triompher enfin du mensonge et du mal. L'avertissement du Portugais qui commandait l'*Amarante* me revint à la mémoire. Aurait-il reconnu sa passagère dans cette créature dont je mesurais la déchéance ?

— Vous qui parlez français, vous devriez raconter à votre voisin l'histoire de notre saint familial... Je suis certain que, dite par vous, il y trouverait grand plaisir.

— Volontiers, Orlando.

La douceur est un signe de force. La Lucrezia de cette soirée montrait moins de douceur que de résignation, semblable en cela à la grande-duchesse qui écoutait les propos du colonel Pierson et ouvrait rarement la bouche. Une grande souffrance habitait l'une et l'autre. Comment Lucrezia était-elle tombée au pouvoir de cet homme ? Elle avait dit : « Je n'ai jamais aimé » et ses yeux s'étaient emplis de larmes. En recueillant l'aveu, j'avais cru que Lucrezia, frappée par les mêmes flèches qui venaient de m'atteindre, avait subi les coups irrésistibles du premier amour. Notre attirance avait été claire, notre désir l'un de l'autre n'avait rien détruit. La domination d'Orlando faisait tomber cet être clair dans une obscurité où elle se complaisait comme lui.

Jean-Emmanuel écoutait sa voisine avec une attention courtoise. Dans les dispositions où je me trouvais, le récit des hauts faits de la famille Torriti ne pouvait qu'exaspérer mon impatience. Mes hôtes traduisaient en anglais, pour le bénéfice exclusif du colonel Pierson, l'histoire que racontait Lucrezia.

— Voyez-vous cette tenture rouge qui couvre l'emplacement d'une cheminée ?

Nos regards examinèrent un grand rideau de brocart cramoisi qui pendait du plafond jusqu'à terre. A l'écart de la conversation, le peintre mangeait d'un appétit solide et vidait son verre aussi souvent que le maître d'hôtel le lui remplissait.

— Derrière cette tenture, un escalier conduit à une chapelle. Le comte Orlando garde toujours sur lui la clé de cet oratoire. C'est là que sont exposés, dans un sarcophage de cristal et d'or, les restes embaumés de son aïeul, le Bienheureux Giovanni Torriti. Une fois par an, le jour de la fête de ce saint qui vécut au onzième siècle, les portes du palais sont ouvertes à tous et l'on célèbre la messe dans la chapelle.

— Très intéressant, dit Jean-Emmanuel, sans grande conviction.

— Cette légende m'étonne et me ravit, dit Lucrezia. Le Bienheureux Giovanni, très saint homme, s'était pris d'affection pour un jeune cousin qu'il avait connu tout enfant et qui s'appelait Pietro Torriti. Chaque fois qu'il venait à Rome, il ne manquait pas de se rendre à la maison de ses parents. L'adolescent y grandissait en sagesse et en piété. Un jour où les devoirs de son état appelaient le religieux à Rome, il alla saluer ses cousins. Comme il s'approchait de leur demeure, il remarqua qu'un grand nombre de personnes, qui en sortaient, donnaient tous les signes de l'affliction et du chagrin.

« Il arrêta une pleureuse :

« — Que se passe-t-il dans la maison des Torriti ?...

« Mais la femme sanglotait et il ne put en obtenir une réponse. Il en avisa une autre :

« — Répondez-moi ! Qu'y a-t-il ?

« Elle reconnut le moine, tomba à ses genoux et s'écria :

« — Ah ! messire, si vous aviez été là, notre jeune maître ne serait pas mort...

« — Mort ?... Dites-moi, comment est-il mort ?

« — Il rentrait chez lui, tard cette nuit. Il entendit des appels et se précipita au secours de la pauvre victime. Il est tombé mortellement blessé. On l'a ramené à la maison ce matin.

« Dominant son chagrin, le Bienheureux dit avec fermeté :

« — Conduis-moi vers lui.

« — Il repose dans sa chambre, dit la servante, en pleurant de plus belle.

« La mère du défunt apprit la présence du moine. Elle vint à sa rencontre et se jeta à ses pieds :

« — Messire Giovanni, si vous aviez été là, Pietro ne serait pas mort. Aucun coup n'aurait pu l'atteindre.

« Giovanni releva sa parente affligée :

« — Votre fils a-t-il reçu les derniers sacrements ?

« — Non, hélas !... Il est mort dans la rue, seul et abandonné de tous... Lui, le charitable, n'a pas eu une mort de chrétien !

« — Menez-moi vers lui et ne pleurez plus.

« Elle lui obéit et sécha ses larmes, si grande était la confiance qu'il inspirait. Il entra dans la chambre du jeune homme, en fit sortir les pleureuses et écarta les religieuses qui veillaient le mort. Comme le Christ, il dit peut-être : « Ne pleurez plus. Celui que vous croyez mort est vivant. »

« Quand il fut seul devant le père et la mère du défunt, il se coucha sur le corps, étendit ses membres sur les membres raidis, appliqua ses mains sur les mains froides et mit son souffle dans la bouche sans souffle. Alors, ce fut le miracle : Pietro Torriti retrouva la chaleur et les couleurs de la vie. Il ouvrit les yeux et sourit à ses parents et à son cousin Giovanni Torriti, qu'il aimait tendrement.

« — Je t'ai rappelé du royaume des ombres, Pietro, parce que tu méritais, pour ton dernier voyage, de recevoir les sacrements du Seigneur. Te sens-tu assez bien pour te confesser et communier ?...

« — Oui, dit le ressuscité, je veux recevoir le viatique.

« Quand l'extrême-onction lui eut été administrée et qu'il eut répondu aux prières d'une voix claire et assurée, le Bienheureux lui dit avec douceur :

« — Vois tes parents affligés. Une servante m'a dit : « Si vous aviez été là, notre jeune maître ne serait pas mort. » Ta mère m'a répété les mêmes paroles. Le Seigneur Jésus m'a donné le pouvoir de te rappeler du royaume des ombres. Maintenant que tu as reçu les sacrements, le choix t'appartient. Que désires-tu ? Veux-tu rester parmi nous, vivant parmi les vivants, ou

111

retourner dans la mort d'où je t'ai tiré par la volonté du Seigneur ?

« Le ressuscité abandonna sa tête contre les coussins. Il avait au visage une expression de béatitude parfaite. Il sourit à ses parents, comme pour leur demander pardon, et regarda le moine :

« — Ah ! messire mon cousin, faites que je puisse retrouver le sommeil d'où vous m'avez tiré, afin que je sanctifie mon âme. J'étais tellement plus heureux de l'autre coté de la nuit !... »

Lucrezia se tut. Son récit m'avait bouleversé. Pensée et conscience liées, nous nous cherchions de l'autre côté de cette nuit où mon incompréhension la condamnait à errer.

Je surpris le regard qu'elle lança à Orlando. Si elle éprouvait pour lui les sentiments que j'éprouvais pour elle, alors que se formait en moi le dessein de la sauver, un désir semblable l'attachait sans doute à un être de mensonge et de corruption.

— Le beau récit, la merveilleuse légende ! dit Séran avec enthousiasme.

— Ce n'est pas une légende. Ce récit apparaît dans le procès-verbal de la béatification du Bienheureux Giovanni Torriti...

La comtesse Selényi et le peintre Maderno mangeaient et buvaient plus que de raison. Lucrezia ne faisait pas honneur au repas. Elle avait beaucoup maigri. Etait-ce pour partager l'existence de l'aventurière hongroise qu'elle avait changé de nom ? Elle n'avait pas eu d'autre ressource, puisqu'un condamné de droit commun, écroué pour purger sa peine, s'appelait Allegri.

Elle m'avait parlé de son père d'une façon émouvante. Et voici qu'à l'heure de sa plus grande détresse, elle n'hésitait pas à le renier. Une fois encore, j'en revenais à son amour pour Orlando, à sa soumission devant lui. Il possédait les clés de ce cœur. Captive d'un maître dangereux, Lucrezia, elle aussi, se sentait prisonnière.

— Comme vous êtes silencieux, monsieur Durtal !

La voix du maître de maison me caressait et cherchait à me tirer de mon rêve.

— Je suis sous le charme ; le récit de Mademoiselle Montauti m'a ému.

— En effet, Lucrezia conte à merveille. Je disais à notre ami Maderno qu'il devrait faire le portrait de Son Altesse. Le colonel Pierson, qui connaît bien son grand talent, me donne son appui. Son Altesse ne nous a pas encore donné son accord.

Elle dit en français, d'un ton apeuré et à voix basse :

— J'en serais heureuse. J'ai beaucoup admiré les œuvres de Monsieur Maderno.

Le peintre s'écria avec fureur :

— A quoi bon ces mensonges ? Si ce n'est vous, comte Orlando, et Dieu sait ce que vous en avez pensé au fond de votre cœur, aucun d'entre vous n'a jamais vu une toile de moi, une toile où s'étalait mon nom ! Qu'avez-vous donc à parler de mon talent ?

De rage, il faillit s'étrangler. Il prit un verre devant lui et le vida d'un trait.

— Cher ami, voyons ! dit le prince Arnoldo avec reproche.

— Je ne suis pas votre ami, vous le savez fort bien...

La violence de la réplique me fit plaisir. C'était la première manifestation d'une présence virile depuis mon arrivée au palais Torriti. Le peintre avait renoncé à parler français ou anglais et, dans leurs efforts pour calmer sa colère, les maîtres de maison lui répondirent en italien. Dans les yeux du comte se leva un regard que j'avais déjà appris à connaître. L'apparente douceur et le vernis de distinction craquèrent comme un masque. D'une voix calme, il menaça :

— Luigi, mon cher, ne m'obligez pas à répondre à vos mauvaises manières par quelques révélations qui ne seraient pas de votre goût. Respectez la présence de mes invités, je vous prie. Vous êtes ivre.

Je crus que Maderno allait lui sauter à la gorge. Le comte le prévint d'un mot méprisant :

— Un mouvement, un seul, et je vous fais jeter à la porte ! Vous savez ce qu'il vous en coûtera ! Ayez la bonté de présenter vos excuses à Son Altesse et dites-lui combien vous serez honoré de faire son portrait.

Il ne savait pas que je parlais italien. La docilité de ses compatriotes qu'il recevait ce soir-là tendait à me faire croire qu'il avait barre sur eux. Luigi Maderno hésita encore. Sa main puissante couverte de poils roux émietta le pain au bord de son assiette. Il parut soutenir contre lui-même un douloureux combat. Enfin, il récita d'un trait, en français, les mots qu'Orlando lui avait dictés :

— Que Votre Altesse m'excuse ! Je serais honoré de faire son portrait.

— Je vous remercie.

L'algarade m'avait gêné. J'avais hâte de quitter ce palais. Pour un peu, devenu Romain, j'aurais volontiers fait le geste de la cuisinière et, en esquissant deux cornes, conjuré le sort. Je ne m'étonnais plus qu'un peuple superstitieux eût doté les Torriti du pouvoir des *jettatore*.

Je regardai Lucrezia. Où était ma belle dame lointaine, ma princesse de Trébizonde ? De quel enchanteur maléfique était-elle devenue la servante ?

Prêt à jouer les saint Georges je savais que les prisonnières ne souhaitent pas toujours leur libération. Liées à leurs geôliers, éprises de leurs chaînes, elles aiment les voluptés tristes de la captivité. A chercher en vain, dans les yeux de Lucrezia, le regard pur qui m'avait conquis, je me demandais si je pouvais l'aimer dans son abaissement, comme je l'avais chérie au faîte de son courage.

Le joaillier de la place d'Espagne m'avait confié que de grands personnages n'avaient pas été étrangers à l'arrestation de Fabrizio Allegri. Cette princesse Olga, au noble visage, quel rôle jouait-elle dans la comédie où nous avions notre part ? A la fin du repas, quand nous revînmes au salon, je m'approchai de la comtesse Selényi. Elle était ivre et en veine de confidences. Lucrezia demeurait chez elle. Pour la revoir, je devais rester en contact avec cette aristocrate déchue.

— Avez-vous une cigarette, mon cher enfant ?

Elle faisait bonne contenance. En dépit de ses vices apparents, la bizarrerie de son accoutrement, elle ne manquait pas «de classe». J'avais vécu en Europe Centrale. Son nom m'était familier. Plusieurs générations de nobles hongrois l'avaient rendu illustre. L'un de ses ancêtres, compagnon de Jean Sobieski, avait défendu Vienne contre les Turcs ; un autre, champion de l'indépendance magyare, avait été pendu par l'empereur François-Joseph. L'Autrichien, refusant une mort de gentilhomme à ces patriotes, les avait condamnés à la pendaison, crime inexpiable dont les Habsbourgs avaient payé le prix. L'histoire du complot avait frappé mon imagination adolescente. Les détails de l'exécution, les noms et les malédictions des condamnés étaient restés gravés dans mon souvenir.

— Que dites-vous du miracle du Bienheureux Giovanni Torriti, monsieur Durtal ? En est-il de plus émouvant ?

Le français de la comtesse Dorottya était sans faute. J'y voyais la marque d'une excellente éducation.

— Votre jeune protégée l'a si bien raconté que son récit ne pouvait laiser personne indifférent.

— Oui, Lucrezia est exquise. Mais parlons plutôt du Bienheureux Giovanni Toritti. La religion me passionne. C'est là le grand souci, l'inquiétude majeure de mon existence. Née catholique, je me suis convertie très tôt au protestantisme. J'avais deux raisons pour cela : d'abord, je voulais qu'au jour de ma mort mon corps fût incinéré ; ensuite, dans un pays comme la Hongrie, où le mariage civil n'existait pas, pour divorcer et me remarier, il fallait devenir protestante. Je donnai volontiers cette preuve d'attachement à mon second mari. Le troisième était russe. Il me plut de devenir orthodoxe. L'aimable religion que celle-là... Les orthodoxes peuvent divorcer et se marier jusqu'à quatre fois sans être chassés de leur église.

Il était facile de l'écouter. Sa vitalité, sa gaieté, expliquaient son charme. On ne s'ennuyait pas auprès d'elle. Exerçait-elle une influence sur le jugement et le cœur de Lucrezia Allegri ?

— L'idée me vint, hélas ! de partir pour les Indes. On parlait beaucoup, à cette époque, d'un certain paysan de la côte de Malabar dont l'enseignement de charité, de retour à la simplicité initiale, faisait des miracles et changeait le cœur des hommes. Dépouillée de tout, je partis mettre mes pieds nus dans les pas du maître. Au bout d'un an, je fus déçue. Vêtu d'un pagne blanc, le prophète gardait un silence auguste à l'ombre du parapluie jaune qui l'abritait en toute saison. Les braves gens venaient lui porter du riz et du thé. Il ne remerciait pas. Il méditait. Au bout de trois mois, il ouvrit la bouche et ce fut un grand murmure du Nord au Sud de l'Inde : « Le sage va parler... Le sage va nous révéler le fruit de ses méditations... :

« Quand il parla, il dit : « Après la pluie, le beau temps » et il s'enferma de nouveau dans la perfection de son silence.

« Le souci de vérité et de foi qui domine mon existence me poussa juqu'à Ceylan, jusqu'au Siam. C'est là que je devins bouddhiste. Insatisfaite dans ma quête de Dieu, j'ai renoncé depuis à épouser la religion des autres... »

J'avais cessé d'écouter la comtesse Dorottya. Lucrezia était venue au côté du peintre qui, une tasse de café à la main, admirait le *Portrait d'un sculpteur* du Bronzino. Luigi Maderno jeta à la jeune fille un coup d'œil qui me surprit, un regard où perçait l'entente. Je me réjouis que, d'instinct, elle se fût rapprochée de Luigi Maderno. Encore une fois, lui seul me paraissait authentique dans cette réunion de menteurs. Ils n'échangèrent pas un mot. Pâlie, malgré les cheveux décolorés qui détruisaient l'harmonie de son visage, elle évoquait enfin la prisonnière de la *Joyeuse*. Elle dit au peintre un mot que lui seul put comprendre. Il lui sourit. Son visage aux traits épais et durement burinés avait un sourire d'une désarmante tendresse. Avec un petit signe de tête, en rejetant les longs cheveux qui cachaient son profil, elle s'écarta de Maderno, prit du recul, les yeux sur le tableau laissé dans l'ombre, et s'approcha de moi.

— Venez donc un peu bavarder avec nous, Lucrezia, dit le comte. Le colonel Pierson souhaite vous faire rencontrer sa femme.

— Je viens tout de suite, Orlando. Permettez-moi de demander à M. Durtal une cigarette... Ce sont des « gauloises », mes favorites...

Elle ne fumait pas sur la *Joyeuse*. Qu'une Italienne pût apprécier le tabac noir des Français m'eût surpris si je n'avais pas vu dans cette phrase un appel et un signe de reconnaissance. Je m'approchai d'elle pour lui offrir mon paquet et lui donner du feu. Tandis que sa main aux ongles rouges choisissait la « gauloise », elle dit très bas :

— Vous n'auriez pas une « troupe » ?

Sa voix, tout à coup, me ramenait sur la *Joyeuse,* au

moment de la séparation. Je la regardai de plus près. Sa pâleur m'effraya. Son regard plein de supplication s'efforçait de trouver mon regard. Elle prit enfin la cigarette. En la mettant entre ses lèvres, son doigt s'attarda sur sa bouche. Elle réclamait le silence. Je lui tendis la flamme de mon briquet.

— Que voilà donc des goûts étranges, ma chère Lucrezia ! Avez-vous connu des Français autrefois ?

— Je suis restée plusieurs mois à Paris avant la guerre...

La voix d'Orlando, toute caresse, était aussi toute menace :

— Je ne connais pas d'être plus mystérieux que cette jeune femme, colonel. Elle se fait un point d'honneur de n'avoir ni attaches ni famille. Tous les siens auraient disparu dans un camp de concentration ou sous les bombardements que je n'en serais pas autrement surpris.

Et il ajouta avec une expression apitoyée :

— Elle a peut-être perdu la mémoire. Nous avons eu de nombreux cas de semblable infirmité. Les nerfs sensibles résistent mal aux épreuves de la guerre.

Enfin, nous nous retrouvâmes dans les rues étroites que la lune seule éclairait. Jean-Emmanuel dit d'un ton où la gêne se mêlait au reproche :

— Amusante soirée, n'est-ce pas ?

— Si l'on veut...

— Vous n'aviez pas ce visage de rabat-joie quand vous êtes arrivé à Rome, il y a deux jours.

Je m'arrêtai au coin d'une rue et je le regardai dans les yeux :

— Séran, mon vieux, n'appelez pas cette pègre vos amis...

Il sursauta. Son visage ouvert trahit une indignation sincère :

— Pègre ? Le mot est fort. Qui êtes-vous pour les juger ainsi ?

— Je ne suis pas de leur bord, ni vous non plus. Vous trouverez à Rome des Italiens dignes de votre respect et de votre affection, honnêtes gens dont le commerce vous fera du bien. Vos Torriti ne me disent rien qui vaille...

Il ne desserra plus les dents jusqu'à la place Navona.

Je me reprochai ma dureté. Après tout, comme Jean-Emmanuel me l'avait fort bien laissé entendre, je n'étais pas Dieu le Père pour m'ingérer en juge de mes semblables. Je les appelais pègre, après avoir retrouvé parmi eux Lucrezia que je prétendais sauver.

Sur la première marche de l'escalier, tandis que j'allumais la lampe, Séran se tourna vers moi :

— Et cette jeune fille blonde, qu'en pensez vous ?

J'eus un mot affreux que je regrettai aussitôt :

— Elle est teinte...

IX

Le lendemain, nous avions rendez-vous pour déjeuner avec un camarade de l'ambassade chez Passetto, piazza Zanardelli, tout près de la place Navona et à peu de distance du palais Farnèse. J'étais arrivé au restaurant en même temps que notre hôte, Yves de Montignac, qui faisait fonction d'attaché financier auprès du représentant du G.P.R.F. Je l'avais connu avant la guerre et nous étions heureux de nous retrouver après tant d'années de séparation. A une heure et demie, Jean-Emmanuel ne nous avait pas rejoints.

— Voilà qui est surprenant, dit Montignac. Séran est l'exactitude même. Avait-il quelque rendez-vous ce matin ?

— A la villa Médicis.

Notre hôte manifesta de l'inquiétude :

— Séran ne connaît pas un traître mot d'italien. J'espère qu'il ne lui est rien arrivé de fâcheux.

A deux heures, nous nous mîmes à table. Le retard de Séran contrariait mon compagnon. A chaque fois que le maître d'hôtel se précipitait pour accueillir de nouveaux clients, son regard guettait l'entrée des arrivants.

— Que craignez-vous donc ? Séran est assez grand pour prendre soin de lui-même. Il sera le premier navré d'un retard dont il n'est pas coutumier.

— Vous ne connaissez pas cette ville. Ce n'est plus la Rome où vous avez vécu. Naples, évidemment, est encore plus dangereuse.

J'avais fini de manger une pizza. L'absence de notre camarade tourmentait si visiblement mon hôte que je renonçai à tenir une conversation ; j'allumai une cigarette.

— Ah ! le voilà enfin...

Il paraissait courir encore. Le visage rouge, il s'avançait entre les tables en gardant aux lèvres un sourire embarrassé.

— Je ne sais comment m'excuser. Désolé de ce retard, Montignac...

— Vous êtes là, c'est le principal. Que vous est-il donc arrivé ?

— Toute une aventure. (Il en souriait encore, mais sans allégresse.) Regardez ceci... Ou... plutôt non, ne regardez pas encore. Je viens de m'éveiller au plus pénible des doutes. Buvons d'abord quelque chose, voulez-vous ? Je vous ai empêché de déjeuner et je meurs de faim.

Montignac appela le maître d'hôtel.

— Commandez votre repas. Le récit peut attendre.

Il n'en augurait rien de favorable. Jean-Emmanuel jeta un coup d'œil au menu et demanda une escalope à la bolognaise. En brisant un gressin, il but un grand verre de frascatti.

— Je me sens mieux... Mieux, dis-je, mais de moins en moins content de moi.

— Racontez votre histoire, dit l'attaché financier d'un air blasé. Vous ne serez soulagé qu'à ce prix.

Séran ne se fit pas prier.

— Je n'avais pas de voiture ce matin. Grandier, que je rencontrai à la villa Médecis, me proposa de me conduire jusqu'ici. Comme il avait un autre rendez-vous et qu'il était pressé, je lui dis de m'arrêter à l'endroit le plus proche de chez Passetto. Il me laissa au bord du Tibre. Il était près d'une heure. Écoliers et étudiants quittaient leurs cours. Le soleil d'octobre donnait un faux air de Paris à ces rives romaines qui n'ont pas grand charme. La courte promenade me faisait plaisir. Bref, j'étais de la meilleure humeur du monde, quand une voiture s'arrêta auprès du trottoir. Son conducteur m'interpella en anglais, avec un fort accent américain :

« — *Excuse me, sir... Do you speak english ?*

« Il n'avait pas quitté le volant. Quand il m'entendit, son visage s'éclaira :

« — Quelle joie de trouver quelqu'un qui parle votre langue ! Je ne comprends pas un mot d'italien.

« Il me faisait pourtant l'effet d'un Italien. C'était probablement un fils d'émigrés qui, né aux Etats-Unis, ne s'était pas embarrassé d'apprendre la langue de ses pères.

« — Pourriez-vous me dire où se trouve l'American Export-Import Company ?

« — Je ne suis pas d'ici...

« L'homme serrait le volant à deux mains. Il avait l'air impatient et contrarié.

« — Il faut que je m'y rende et rapidement. Mon avion ne va pas attendre... Quelle langue parlez-vous ?

« — Français.

« — Essayez donc de vous expliquer avec un passant. Vous avez plus de chance que moi d'être compris. Demandez-lui où se trouve cette compagnie.

« Il me parlait sans politesse excessive, comme un homme aux abois. Son arrogance ne venait sans doute que d'une grande nervosité. Au lieu de me défendre, je me laissai convaincre de l'aider. Un homme assez bien vêtu, convenable, l'aspect bourgeois, passait à ce moment-là, une serviette de cuir à la main.

« — Arrêtez donc ce type, me dit l'Américain.

« Plus courtoisement que lui, je demandai au passant s'il parlait français.

« — Un peu... Que désirez-vous ? Je suis pressé.

« — Cet Américain voudrait savoir où se trouve l'American Export-Import Company ?

« — Très simple, dit l'homme.

« Et il se lança dans de longues et difficiles explications, qu'au fur et à mesure je traduisais en anglais.

« — Et vous croyez que je vais me rappeler tout cela ? dit l'Américain en levant les deux mains d'un geste désespéré. Si je n'y parviens pas tout de suite, je suis flambé... Dites donc, vous ne pouvez pas demander à cet Italien de monter dans ma voiture ? Il peut bien me mener jusque-là.

« Le passant se fit prier. Il regarda sa montre. Il nous regarda tous les deux.

« — J'ai un rendez-vous. Je vais être en retard. C'est impossible !

« — Allons, soyez chic. Insistez... Il s'agit d'une affaire d'une importance capitale.

« L'Italien fit une réponse pertinente :

« — A quoi bon monter dans sa voiture puisque je ne parle pas anglais ? Il ne me comprendra pas... ou alors montrez-moi que je ne tombe pas dans un piège et venez avec nous.

« J'hésitai. Il n'était pas tout à fait une heure. Notre rendez-vous m'accordait encore un peu de temps. L'Américain ouvrit la portière :

« — Allons, décidez-vous. Je vous reconduirai tous les deux là où vous devez aller. Vous ne perdrez pas de temps et vous me rendrez un signalé service.

« Nous montâmes, moi près de l'Américain, l'Italien derrière.

« Où vais-je maintenant ?

« — Traversez d'abord le Tibre...

« Suivant les instructions du passant, assis bien raide, les deux mains sur sa précieuse serviette, nous errâmes à travers des rues impossibles. Notre conducteur s'impatientait !

« — Eh bien ! allons-nous y arriver, oui ou non ?

« — Nous y sommes presque.

« Et, tout à coup, l'Italien regarda sa montre.

« — Quelle heure est-il ?

« — Une heure cinq.

« L'homme jura et dit aussitôt d'un air résigné :

« — J'aurais dû y penser. Cette montre retarde toujours. A une heure, toutes les compagnies sont fermées. Inutile d'aller plus loin.

« L'Américain poussa un cri d'angoisse :

« — Mais que vais-je faire ? Que vais-je devenir ?

« Après avoir déversé sur nous un torrent de questions, il parut renoncer à son projet.

122

« — Où voulez-vous aller, maintenant ?

« Notre compagnon donna une adresse et des indications.

« Au haut d'une rampe, le chauffeur désespéré arrêta sa voiture et se tourna vers moi :

« — Dites donc, ne pourriez-vous pas m'aider ? Je suis pilote d'une ligne américaine, la T.W.A., qui vient d'envoyer en Europe un premier avion, une sorte de ballon d'essai pour les lignes commerciales futures. J'arrive de Suisse où j'ai acheté des montres. On m'avait dit que je pouvais les vendre à l'American Export-Import Company. Mon avion part de Ciampino à trois heures. Si je rentre aux U.S.A. avec ces montres, je suis sûr de me faire coincer à la douane. J'ai mis là-dedans toutes mes économies. Une montre, ça ne vous intéresse pas, vous ?

« — En aucune façon...

« J'étais très ferme. Je n'avais aucun désir de tremper dans ces petits trafics.

« — Bon, vous êtes étranger. Cela se comprend. Mais le camarade, là ? Vous ne pouvez pas lui poser la question ?

« Le regard de l'Italien s'alluma. Il s'assit au bord de la banquette et, les mains toujours serrées sur sa serviette, il dit avec un empressement dont il n'avait pas fait preuve jusque-là :

« — Des montres ? Bien sûr que cela m'intéresse. Quelles montres ?

« — Des chronomètres modernes, en or, avec les jours, les mois, une trotteuse. Enfin, le dernier mot.

« Je ne faisais que traduire.

« — Combien en veut-il ? dit l'Italien.

« — Cent mille lires.

« La discussion n'en finissait pas. Tous les deux s'en prenaient à moi : « Dites-lui de se décider. C'est pour rien. Il peut les vendre le double, ici. Mon avion n'attendra pas. » « Vous ne pouvez pas lui dire de baisser ses prix ? C'est beaucoup trop cher pour moi. Je ne suis qu'un pauvre type. J'ai cinq enfants tout petits, monsieur, tout petits... » L'Américain déballa trois montres roulées dans un papier de soie. Je n'y jetai même pas un coup d'œil. L'Italien dit avec un empressement un peu surprenant, mais, après tout, il parlait français et l'autre ne pouvait le comprendre :

« — De toute beauté. Ce qui se vend le mieux... Ah ! monsieur, je ne me suis jamais livré à aucun marché noir, mais la vie est si dure avec ces gosses à élever... Ma femme me reproche de ne pas savoir me débrouiller. Je ne peux quand même pas perdre une occasion comme celle-là, une possibilité de donner à mes enfants ce dont ils ont tant besoin.

« Je pensais à notre rendez-vous et que j'allais être en retard. Enfin, ils transigèrent à quatre-vingt mille lires.

« — Je suis pressé. Dites-lui de se dépêcher...

« Avec hésitation, l'Italien ouvrit sa serviette et compta des billets.

« — Je n'ai que trente mille lires...

« — Pas même de quoi en payer une. Pouilleux, va !

« Et l'Américain, tendit la main pour qu'on lui rendît la montre. Ce fut au tour de l'autre de plaider :

« — Les cinquante mille lires, je les aurai sans difficulté à trois heures, à l'heure d'ouverture de la banque.

« — A trois heures, je serai en train de voler, dit le pilote.

« — Monsieur, ne pouvez-vous m'avancer les cinquante mille lires ?

« Je dis avec force que je n'avais pas cette somme sur moi.

« — Nous vous accompagnerons à votre hôtel... Bien sûr, je vous laisserai le chronomètre en gage. A trois heures et demie, je vous apporterai les cinquante mille lires pour reprendre la montre qui vaut deux fois ce prix-là.

« — Ramenez-moi d'abord piazza Zanardelli, dis-je avec un semblant d'autorité.

« Comment parler haut quand on se sait perdu ? J'aurais eu beaucoup de mal à retrouver mon chemin. Je commandai avec force :

« — Retraversez le Tibre.

« Dans une ville étrangère, en dehors des points de repère connus, tous les quartiers se ressemblent. Quand l'Américain arrêta sa voiture de ce côté-ci du fleuve et que l'autre m'eut affirmé que nous étions à deux pas de la place Zanardelli, j'en fus aussitôt convaincu.

« — Eh bien ! ces cinquante mille lires ? dit l'Américain. Rendez-lui ce service, mister. Ils crèvent tous de faim dans ce pays. Pour moi, je vais être obligé de rentrer à New York avec le reste des montres et je me demande bien ce que la douane va me compter.

« L'histoire ne me plaisait qu'à moitié. Pourtant, l'un et l'autre semblaient sincères. Ils me demandaient de prêter cette somme pendant deux heures. Il est vrai que, du même coup, je donnais mon appui à un trafic que les lois du pays réprouvent. J'hésitai. Ils me brossèrent des tableaux déchirants de la misère de cinq enfants italiens ; à force de supplications, je me laissai convaincre d'avancer les cinquante mille lires. Ils me confièrent le chronomètre. L'Italien prit mon adresse. l'Américain témoignait d'une hâte de plus en plus grande. Il m'ouvrit la portière. L'autre dit :

« — Vous êtes très près du restaurant Passetto. A trois heures et demie, je serai chez vous.

« Ils disparurent dans des directions opposées, si rapidement que je m'étonnai de me retrouver seul. En fait, j'étais très loin de la place Zanardelli. J'eus la chance de trouver un taxi. Voilà la raison de mon retard.

Montignac garda le silence. J'allumai une cigarette. Séran attaqua l'escalope avec appétit.

— Et vous n'avez pas eu un instant l'impression que vous étiez l'objet d'un coup monté ?

Jean-Emmanuel reposa le couvert sur son assiette et nous jeta un regard malheureux :

— Certes non.

Il ne servait à rien de l'accabler.

— Pensez-vous vraiment qu'il y ait eu connivence entre ces deux hommes ?

— Je le crains, dit Montignac.

Séran poussa un soupir et, tout appétit perdu, alluma une cigarette. Il n'avait pas tout dit. Il lui restait sur le cœur un autre tourment dont il ne souhaitait pas nous faire confidence.

— Vous allez m'accuser de sottise et de naïveté, mais je n'en ai eu le premier soupçon qu'au moment de quitter la voiture... Quels merveilleux acteurs et quelle précision dans leur mise en scène ! Je me demande encore...

Il passa la main sur ses cheveux d'un air distrait.

— N'en doutez pas, Séran. Vous avez été victime d'une bande bien organisée. Réjouissez-vous de vous en être tiré à si bon compte. A Naples, vous vous seriez retrouvé dans un terrain vague, assommé et nu comme un ver...

Je demandai à voir la montre. Il la sortit du papier de soie qui l'enveloppait. C'était une grossière imitation d'un chronomètre suisse. Le cadran ne portait pas d'autre marque qu'un « Swiss Made » qui ne pouvait tromper personne.

— Aviez-vous regardé cette montre ?

— Je ne l'ai jamais tant vue. Au bout d'un moment, j'en ai eu assez. J'avais hâte de leur fausser compagnie et de vous retrouver. Ils m'ont eu « à l'usure ».

Nous lui rendîmes la montre. Il y jeta un coup d'œil désolé.

— Bien sûr, si j'avais vu cette toquante, je ne me serais pas laissé prendre au piège.

— Croyez-moi, dit Montignac, il est dommage de se faire voler cinquante mille lires, mais la leçon peut être profitable. Ce ne sera pas payer trop cher votre sécurité future. Je n'ai cessé de vous mettre en garde depuis votre arrivée à Rome. Les journaux sont pleins d'histoires semblables. La police est impuissante devant tant de ruse et d'adresse. A vous de vous tenir sur vos gardes.

— Et vous pensez que l'homme ne viendra pas à trois heures et demie ?

Notre compagnon eut un sourire apitoyé :

— J'en suis certain. Ne vous reprochez pas de ne pas lui avoir demandé ses papiers. Il en tenait tout un jeu à votre disposition. Vous avez eu tort de monter dans la voiture d'un inconnu. Dès ce moment-là, votre compte était bon. Parlons d'autre chose... Un autre, *expresso,* Durtal ?

— Volontiers...

Sans beaucoup de difficulté, nous rendîmes à Séran sa bonne humeur. Pourtant, quand je me retrouvai avec lui à dîner ce soir-là, je m'étonnai de son silence. Gaieté et égalité d'humeur en défaut, il était la proie d'un tourment dont je ne devinais pas la cause.

— L'homme n'est pas venu, dit-il enfin, tandis que Pia desservait la table.

— Aviez-vous gardé des illusions ?

Il hésita :

— Non... sincèrement non...

Et, de nouveau, il trahit de l'admiration :

— Quels acteurs ces hommes pourraient faire ! Pour échapper à une réputation de stupidité trop méritée, je suis obligé de leur reconnaître des qualités peu communes.

Son ironie avait un son de tristesse. Il semblait inquiet et découragé.

— Peut-être cette perte de cinquante mille lires vous est-elle très sensible, Jean-Emmanuel ? Je serais ravi de vous les avancer. Nous n'en parlerions plus.

— Ce n'est pas cela...

Sa distraction me surprenait aussi. Il ajouta, pris en flagrant délit d'ingratitude :

— Je vous suis très reconnaissant, Thibaut. Je n'oublierai pas votre geste. Il est juste que je paie pour mes expériences. Oscar Wilde n'a-t-il pas dit que « l'expérience est le nom que les hommes donnent à leurs erreurs » ?

Il retomba dans son silence. Je fumais cigarette sur cigarette. Je pensais à Lucrezia qui s'était fait reconnaître de moi en me demandant une « gauloise » et qui avait réclamé le silence.

— Vous souvenez-vous de notre conversation d'hier soir, Thibaut ?

Je le regardai avec surprise :

— Avons-nous vraiment eu une conversation, hier soir ?

Il eut un sourire gêné :

— Vous savez bien, dit-il, en bougeant pour prendre un cendrier, que nous avons échangé quelques réflexions sur les Torriti et leurs hôtes... Vous les avez traités de pègre. Vous n'avez pas changé d'opinion ?

— Ces gens-là sentent le cadavre, Séran. Un cadavre de prince ou de comtesse sent aussi mauvais qu'un autre...

J'avais cru le faire bondir.

— Depuis ma mésaventure d'aujourd'hui, il n'est

plus nécessaire de me mettre en garde et de m'ouvrir les yeux sur la société qui m'accueille ici...

— Vous avez d'excellents amis romains qui méritent votre respect et votre confiance. Toutes les capitales du monde ont leurs Torriti et leur pègre. Celle-ci est plus intelligente et plus rusée que la nôtre, voilà tout... Pourquoi revenir sur cette question ?

Il écrasa sa cigarette et en alluma une autre.

— Je ne suis pas homme à me tourmenter outre mesure pour les bêtises que j'ai commises ; je rirais déjà de cette histoire, si le hasard ne m'avait éclairé malgré moi sur une complicité que j'aurais préféré ne pas découvrir...

Curiosité en éveil, je le pressai de s'expliquer.

— Je vous ai dit, n'est-ce pas, que nantis des cinquante mille lires, mes voleurs avaient montré beaucoup de hâte à se débarrasser de moi et qu'ils m'avaient débarqué à un carrefour inconnu, en prétendant que j'étais très près de la piazza Zanardelli ?

— En effet.

— A la recherche du restaurant Passetto, j'ai erré le long des ruelles avoisinantes. Enfin, j'ai aperçu un taxi et je me suis senti sauvé. Le chauffeur m'entraîna avec une adresse et une rapidité très romaines dans un dédale de rues étroites où un étranger n'aurait pu que se perdre. Le taxi dépassa une voiture arrêtée. Au volant de cette voiture, je reconnus mon Américain et, assise auprès de lui, une jeune fille aux longs cheveux platine.

Séran se tut. Le sang au visage, j'aurais voulu obliger mon compagnon à parler plus haut, à parler plus clairement :

— Que voulez-vous dire ?

Jean-Emmanuel secouait la tête comme pour se débarrasser d'une image obsédante :

— La blonde qui était assise auprès de mon voleur était cette Lucrezia Montauti qui m'avait charmé hier. Elle faisait le partage des billets que lui remettait le supposé Américain. Vous aviez raison de vous méfier des Torriti et de leurs invités...

Malgré moi, je protestai. Mon camarade me regarda avec surprise :

— Aucune erreur possible. J'aurais voulu m'arrêter et

courir vers eux, certain au moins que la fille me comprendrait. Quand je me décidai à faire signe au chauffeur, nous avions dépassé la voiture ; expliquer en italien la détermination que je venais de prendre était une entreprise au-dessus de mes forces.

Il se leva et s'approcha de la fenêtre.

L'élaboration de ce coup monté a pris naissance hier soir, dans le cerveau inventif de nos commensaux au palais Torriti. Ma voisine s'est aperçue que je ne parlais pas italien. Le comte Orlando lui-même a attiré l'attention sur ce fait : « Dites-lui l'histoire de notre saint familial, vous qui parlez français, Lucrezia. M. Séran ignore notre langue. »

— Votre imagination vous égare, mon vieux...

Mais je craignais qu'il n'eût raison. Une voleuse, une simple voleuse. J'en aurais pleuré de dépit.

— Je le souhaiterais. Ni votre intuition ni votre jugement ne vous ont trompé.

Et il ajouta avec conviction :

— Je ne mettrai plus les pieds chez les Torriti.

Alors, je dus bien le surprendre, car, je dis avec toute la force dont j'étais capable :

— Libre à vous. Pour moi, bien au contraire, à la première occasion, je retournerai au palais Torriti.

Les deux jours qui suivirent furent très calmes. Je n'assistai qu'aux réceptions officielles et me mis au courant d'un travail dont j'avais perdu l'habitude. Les heures passèrent vite. Chaque fois que je parlais de louer un appartement, Séran me coupait la parole d'un négligent :

— Etes-vous donc si pressé de me quitter ? Vous ne me dérangez en rien. La solitude commençait à me peser.

Le troisième jour, nous n'avions pas de sortie prévue. Le temps se maintenait au beau. Après le dîner, en voyant la pureté de la nuit, je décidai de faire une promenade jusqu'au Capitole. Peu épris de ruines romaines, je souhaitais pourtant revoir le Forum et le Colisée au clair de lune. Jean-Emmanuel refusa de m'accompagner. Il n'aimait pas la marche. Quand je rentrai, il était plus de minuit. Je tirai les tentures et ouvris toutes grandes les fenêtres pour admirer la beauté de la place Navona. Alors, il se passa quelque chose d'étrange. Il y eut plusieurs coups de sifflet, un grincement de freins, des exclamations, des cris :

— Arrêtez-la... Arrêtez-la...

J'entendis le bruit de hauts talons sur les pavés inégaux, je vis une ombre blanche déboucher de la Tor Millina et hésiter dans l'obscurité que projetait l'église Sainte-Agnès. La femme reprit sa course éperdue, serrée de près par ses poursuivants : deux hommes escortés d'agents de police qui arrivaient de la Tor Millina et de la rue Santa-Maria de l'Animi. Pourquoi faut-il qu'innocents ou coupables, mes vœux soient toujours du côté des poursuivis ? La place Navona était peu éclairée. La pleine lune, en jouant ses plans d'obscurité pâle et de trompeuse lumière sur la pierre blanche des fontaines et des pavés, ajoutait à la confusion. Les policiers hésitèrent et marquèrent une pause.

— Où est-elle ? Où a-t-elle disparu ?

Un agent m'interpella :

— Avez-vous vu cette voleuse ? Elle a dû se cacher quelque part.

Je pris mon meilleur accent français :

— Je n'ai rien vu, monsieur l'agent.

— Prévenez-nous, s'il vous plaît, si vous l'apercevez.

Le mot voleuse m'avait fait mal. Je me retrouvai à bord de la *Joyeuse,* attendant dans l'aube glacée le moment d'aller sur l'*Amarante* arrêter une espionne. Un calme vigilant était retombé sur la place qui épouse la forme et la dimension du stade de Domitien. Un chat la traversa, les oreilles inclinées, la queue basse. Une lampe électrique à la main, les agents allaient de porte en porte. Ils fouillaient les recoins d'ombre et montaient les marches des églises, en échangeant des réflexions impatientes :

— Elle devait avoir des complices.

Hésitant, ils revenaient sur leurs pas. Ils promenaient au hasard les rayons de leur lampe qui me touchaient parfois au visage. J'étais inquiet.

— Elle a dû s'enfuir par la piazza dell'Apollinare...

Alors, j'aperçus la fugitive. La cachette était bonne. Elle portait un manteau blanc. Ses cheveux étaient blonds. Elle avait cherché refuge dans les bras de marbre d'une divinité marine, au centre de la fontaine moderne qui fait pendant à la fontaine du Maure.

De mes fenêtres du deuxième étage, je l'avais découverte, mais ses poursuivants ne la distinguaient pas, protégée par l'éclat d'une statue, sous la pâleur du clair de lune. Elle ne bougeait pas. Elle paraissait sans souffle et sans regard.

Au bout d'un temps sans fin, les policiers, lassés, abandonnèrent leur recherche. Ils me saluèrent avant de s'éloigner. Je les saluai à mon tour. Il devait être une heure du matin. Je les entendis mettre un moteur en marche, puis le silence retomba. Je descendis aussitôt. J'avais peur qu'elle ne se fût enfuie. La place était inanimée : ni mouvement ni bruit de talons sur les vieux pavés. Je m'approchai de la fontaine et sautai au-dessus du bassin où croupissait une eau sale. Deux yeux pleins de cris me regardaient.

— Lucrezia...

Elle n'ouvrit pas la bouche. Son visage était gris entre les longs cheveux teints. Je voulus l'obliger à me suivre. Ses mains froides étaient crispées autour des bras du monstre marin qui l'avait protégée et j'eus peine à lui faire lâcher prise. Elle se mit à trembler. Je savais seulement qu'elle était malheureuse et qu'elle avait besoin de moi.

— Venez.

Elle m'obéit Je l'aidai à quitter son abri. Pour atteindre le refuge, elle avait traversé l'eau verdie du bassin. Ses pieds étaient mouillés. Sa docilité, sa peur me troublaient. Je m'en voulais d'aimer un être que je ne pouvais plus respecter.

— Suivez-moi, Lucrezia.

Elle ne chercha pas à me fausser compagnie. A bout de courage, elle était dans cet état d'abattement qui ne permet pas la décision et le choix. Je la conduisis jusqu'au seuil de la maison dont j'avais laissé la porte entrouverte.

— Montez. C'est au second, à droite. Ne faites pas de bruit. Les gens sont curieux.

Sur l'*Amarante*, c'était elle qui m'avait conduit à la salle à manger. La flamme, qui l'animait alors ne brûlait plus. Qu'avait-on fait de la Lucrezia Allegri que j'aimais ? Un être louche, une créature de nuit, la servante d'un maître corrompu qui avait nom : Orlando Torriti. C'était trop de désillusion et de chagrin.

J'ouvris devant elle la porte de l'appartement et je la menai dans ma chambre, à l'écart de celle qu'occupait Séran.

— Asseyez-vous, Lucrezia.

On eût dit qu'elle trouvait à m'obéir plus qu'un bien-être, un soulagement véritable.

— Voulez-vous boire quelque chose ?

Elle fit signe que non.

— Une cigarette ?

— Je n'aime pas fumer.

— Vous m'avez dit cela sur la *Joyeuse*. Pourtant, vous fumiez, l'autre soir, chez les Torriti.

Elle rejeta ses cheveux derrière ses oreilles. Je n'avais pas imaginé ainsi notre revoir. Elle tenait les yeux baissés et souhaitait se taire.

— Regardez-moi, Lucrezia.

Elle me regarda. Ses yeux étaient pleins de larmes.

— Pourquoi pleurez-vous ?

Sa réponse au moins fut sincère :

— Je pense au moment où je vous ai quitté sur la *Joyeuse*. Là aussi, vous avez demandé : « Pourquoi pleurez-vous ? »

Emu et malgré moi troublé, je dis avec plus de douceur :

— Vous ne m'aviez donc pas oublié ?

— Je n'oublie rien.

Et elle ajouta avec un sursaut de franchise qui me rappela notre entente perdue :

— Rien, dis-je, et vous, pour moi, vous étiez tout.

Elle ne voulait ni me convaincre ni me séduire. Sa honte et sa gêne soulignaient la sincérité de sa douleur. J'avais beau me souvenir qu'elle avait volé, qu'elle vivait au milieu d'aventuriers et que la police était à ses trousses, je ne parvenais pas à vaincre l'attirance qui me poussait vers elle.

— Que vous est-il donc arrivé, Lucrezia, depuis Beyrouth ?

— Beaucoup de mal et beaucoup de souffrance.

— Parlez-moi de vous.

Elle secoua la tête.

— Quand je vous ai aperçu l'autre jour, j'ai cru que je ne survivrais pas à mon désespoir. Je parlais à votre ami, j'essayais de donner le change et en moi tout était froid, tout se défaisait comme si j'avais été couchée dans ma tombe.

— M'avez-vous tout de suite reconnu ?

— Comment vous aurais-je oublié ?

En quelques instants, elle semblait avoir atteint la vieillesse. J'aurais voulu la prendre contre moi et couvrir de baisers les grimaces que la souffrance mettait dans ses yeux et au coin de sa bouche.

Elle se leva. Les bras croisés étroitement contre sa poitrine, elle s'approcha de la fenêtre. Le clair de lune touchait son beau profil. Elle avait ramené ses cheveux en arrière et, visage dégagé, je l'évoquais de nouveau comme cette princesse de Trébizonde que Pisanello a peinte sur les murs d'une église. Je l'aimais pieuse, je l'aimais pure. Je m'efforçais de croire que la dégradation et l'infamie n'avaient pas eu de prise sur elle. De l'embrasure de la fenêtre, elle dit :

— Je vous attendais. Tout ce qui est moi vous attendait. Pourquoi êtes-vous venu si tôt ?

C'est à peine si j'osais la regarder. Orphée ne perdit-il pas Eurydice pour n'avoir pas résisté à l'épreuve qui l'avait conduit à sa recherche ? Et, trop curieux des nuits que lui réclamait Mélusine, le prince de Lusignan ne sacrifia-t-il pas son bonheur conjugal au tourment de connaître ?

— Encore un peu de temps, Thibaut, et vous auriez retrouvé en moi, intacte et heureuse d'être liée à vous, votre prisonnière de la *Joyeuse*.

— Il n'est pas trop tard, Lucrezia. Il n'est jamais trop tard.

Pour la première fois, je la vis sourire. Elle découvrit ses dents mal plantées, ce défaut comparable à la faute que commet volontairement le créateur d'un tapis en achevant son chef-d'œuvre, parce que seul Allah est parfait. Pourquoi devais-je être davantage conquis par les imperfections, la fatigue et le chagrin que par la beauté de Lucrezia ? Le cœur des hommes est ainsi fait et je l'aimais sincèrement.

— Préparez-vous à beaucoup de patience. Avez-vous assez de foi, assez d'amour pour surmonter l'épreuve ?

Etrange Lucrezia qui, plus profondément que les apparences, n'avait pas changé. Le déguisement était vulgaire, le fard, épais, mais elle parlait le langage plein de noblesse qui m'avait attaché à elle dès notre première rencontre.

Elle retint un soupir. Quand elle se pencha pour ramasser son manteau, j'eus l'impression qu'elle reprenait sa croix.

— Oubliez que vous m'avez vue. Oubliez que nous nous connaissons. Gardez-moi dans votre âme, Thibaut. Que votre imagination ne me trahisse pas, que vos yeux ne me jugent pas !

Son regard nu voulait me convaincre de sa tendresse et de sa sincérité.

— Pourquoi vous appelez-vous Montauti, maintenant ?

— Mon père est en prison. Notre nom était un fardeau. Pour être libre, j'ai dû le déposer.

— S'agissait-il de la parure de rubis ?

Elle fit signe que oui. Sa main s'était appuyée contre le bras du fauteuil, elle avait incliné la tête, distraite par une pensée que je ne partageais pas.

— Le marchand Shéhabî, à Kaboul, m'avait prévenue. Ces joyaux, qui n'étaient pas pour moi, ne m'ont apporté qu'humiliations, luttes et chagrins. Et ce n'est pas fini, Thibaut.

— Laissez-moi vous aider.

Elle me sourit. Ses beaux yeux étaient tristes et tendres.

— Ne m'abandonnez pas. Ce sera ma récompense. Vous voir, vous sentir près de moi sans que vous m'ayez rejetée m'a fait tant de bien.

Elle passa devant moi. Je l'accompagnai jusqu'à la porte. En descendant l'escalier, nous restâmes silencieux. Je ne pris pas le bras de ma compagne. Au seuil de la maison, sur la piazza Navona, je me risquai le premier. La place était deserte.

— Où vous retrouverai-je ?

— Je demeure chez la comtesse Selényi. Elle ne tardera pas à vous inviter. Le peintre Maderno est mon seul camarade. Il ne sait rien de mon passé. Il pourra vous donner de mes nouvelles.

— Lucrezia...

Elle tremblait contre moi. Son visage retrouva un peu de couleur et s'éveilla de nouveau à la douceur d'un sentiment oublié.

— Thibaut, c'est si dur de lutter seule. Dites-moi que, quoi qu'il arrive, je ne vous perdrai plus ?

D'une promesse, j'avais le pouvoir d'apaiser son angoisse ; quand elle levait ainsi son visage vers le mien, corps tendu à me toucher, il n'y avait plus de place pour le doute et la peur.

— Je continuerai à vous attendre. Si vous êtes seule et en danger, appelez-moi.

Elle eut un rire désolé.

— La protection d'un diplomate pour une voleuse ?

Et, avant que j'aie pu la retenir, que j'aie pu lui ôter ce mot affreux de la bouche, elle s'inclina et effleura mes mains de ses lèvres.

— Lucrezia...

Le martèlement rapide de ses talons résonna sur les pavés de la place.

X

A quelque temps de là, je me rendis au palais Torriti.
La comtesse Selényi ne m'avait pas invité. Je souhaitais
revoir Maderno pour obtenir des nouvelles de Lucrezia.
Le prince, dont il était le protégé, avait mis un atelier à
sa disposition. Comme un mécène d'autrefois, il logeait
l'artiste chez lui. Matteo, qui m'accueillit au haut de
l'escalier, parut m'interdire le passage.

— Beau temps, dis-je d'un ton allègre. Je souhaiterais
voir votre maître.

— M. le comte Orlando ou M. le prince Arnoldo ?

— M. le prince Torriti.

— Il est absent.

Une voix vigoureuse appela d'en haut :

— Qui est là, Matteo ? Qui veut voir le prince ?

Maderno était penché au-dessus de la balustrade, au
second étage du palais.

— C'est moi, Durtal. En fait, je désirais vous voir.
Puis-je monter ?

Un instant s'écoula avant que le peintre me répondît
avec une jovialité pourtant peu affectée :

— Montez donc. Les visiteurs sont rares. Vous allez
me distraire. J'en ai besoin.

— Je m'en voudrais d'interrompre votre travail.

— Je suis seul. Ne faites pas tant de manières. Vous
êtes le bienvenu.

J'obéis à cette invitation. Le visage de Matteo, peu souriant d'habitude, s'était encore renfrogné. Maderno me serra la main et, sans m'introduire dans les appartements du prince, me fit traverser une loggia, moins belle que celle dont j'avais admiré le dessin au premier étage, et ouvrit, au fond d'un couloir obscur et étroit la porte de son atelier.

— Vous voici dans mon royaume.

Tout occupé à chercher les phrases qui feraient pardonner mes jugements de Béotien et ne froisseraient pas le créateur, je jetai un coup d'œil aux toiles accrochées en pleine lumière. Ma surprise fut complète. J'aimais ces tableaux, natures mortes, paysages ou portraits au dessin sûr, aux merveilleuses couleurs. Un goût aussi peu formé que le mien reconnaissait dans le moindre trait la marque d'un talent original. Sans rien d'agressif, c'était une peinture vigoureuse et éclatante. Maderno était un excellent portraitiste. L'âme du modèle apparaissait à fleur de peau.

— Eh bien ! qu'en pensez-vous ?

— J'admire.

Son rire cacha mal une profonde amertume.

— Et le plus fort, c'est que vous paraissez sincère.

— Je le suis. Ignorant je n'ai qu'un critère : Je souhaiterais vivre devant ce portrait de femme, devant cette rue romaine ou cette nature morte aux tons rouges. Ils éclateraient sur les murs. Ils changeraient le décor de mes jours. Les contempler me rendrait heureux.

Maderno voulut me répondre, mais son émotion était trop vive, trop rapide sa pensée. Aucun mot intelligible ne sortit de ses lèvres. Il donnait de furieux coups d'épaule, comme s'il eût tiré une chaîne. Sa souffrance, sa colère rappelaient celles d'une bête en cage.

— Vous admirez mes œuvres. Oui, j'étais un peintre. Regardez ce qu'ils m'ont obligé à devenir.

Avec brusquerie, il s'approcha d'un chevalet que couvrait un morceau d'étoffe.

— Vous allez voir ce que deviennent les artistes quand leur liberté de créer est entravée, quand ils deviennent les domestiques des princes.

Il arracha l'étoffe. Je regardai la toile presque achevée.

— Le portrait de la grande-duchesse Olga ?

— Oui.

— Mais ce n'est pas vous qui l'avez peint ?

C'était une toile académique. Si la dextérité de son auteur se trahissait dans de nombreux détails, la médiocrité de l'inspiration s'y reconnaissait aussi. Le métier avait étouffé l'art.

— Voilà bien le plus grand compliment qu'on m'ait fait jusqu'ici. Malheureusement, je dois vous décevoir : je suis bien le seul, l'unique auteur de cette ordure.

La voix tonnait, rageuse et amère.

— Vous exagérez, Maderno. Ce portrait ne manque ni de force ni de charme. Il n'obéit plus à votre élan d'autrefois. Il est classique. C'est curieux. Vous savez quelle comparaison me vient à l'esprit ?

Un air de défi aux lèvres, il me regardait. Il semblait deviner ce que j'allais dire.

— On croirait que vous avez été influencé, par le Bronzino. Vous essayez au vingtième siècle de faire des portraits à sa manière.

— Et cela vous surprend, n'est-ce pas ?

Je m'avançai vers les autres toiles.

— Le Maderno première manière valait bien le Bronzino.

Il fit un geste comme pour me serrer dans ses bras. Son désespoir prit le dessus. Il s'écarta de moi et s'enferma dans un silence hostile. Gêné, je m'approchai de la toile exposée sur le chevalet. Jusque-là, plus intéressé par l'artiste que par le modèle, je ne lui avais donné qu'un coup d'œil. Et maintenant que je regardais avec plus d'attention le portrait de la grande-duchesse Olga, je remarquai qu'elle portait au cou et aux poignets une parure précieusement sertie et d'un éclat inestimable.

— Maderno...

Il ne se retourna pas.

— Maderno, je vous en prie.

Je lui touchai le bras.

— Que me voulez-vous encore ? Me dire que c'est un Bronzino, que je ne suis plus capable que de peindre des Bronzino ? Parbleu, je le sais bien.

— Il ne s'agit pas de cela. Votre portrait est criant

de ressemblance. Je voudrais vous poser une question.

— Allez-y.

Il gardait une expression butée.

— Comment était la parure que portait la grande-duchesse quand elle est venue poser pour vous ?

— Comme je l'ai peinte.

— Des rubis ?

— Oui. Des rubis ; je n'en ai jamais vu de semblables. Vraiment, une parure impériale.

— La grande-duchesse l'avait-elle quand elle est arrivée d'Allemagne ?

— Comment le saurais-je ? Cette femme n'ouvre pas la bouche.

— Elle ne parle pas italien.

— Je parle français. D'abord, Orlando voulait assister aux séances. Je ne peux pas peindre en public. Il a consenti à nous laisser seuls en insistant pour que cette parure fût mise en relief. Il a eu un mot étrange : « C'est une pièce d'identité. Une véritable pièce d'identité. »

Le peintre se reprit aussitôt et me regarda d'un air soupçonneux.

— Mais je ne sais pas pourquoi je vous raconte tout cela. Allez vous-en, Durtal. Si les Torriti nous trouvaient ensemble, cette rencontre ne nous porterait pas bonheur.

A la dérobée, dans le même geste qu'avait eu Pia, l'index et le petit doigt tendus comme des cornes, il voulut conjurer le mauvais sort. Je me dirigeai vers la porte.

— Un mot encore. Lucrezia Montauti a-t-elle vu le portrait de la grande-duchesse ?

— Elle était ici hier.

Il m'avait répondu à regret.

— Vous lui ferez mes amitiés. Au revoir, Maderno, et merci de m'avoir montré vos œuvres.

— Vous trouverez seul le chemin, n'est-ce pas ?

En ouvrant la porte, je me heurtai presque au comte Orlando. Qu'avait-il surpris de notre conversation ? Son visage avait un franc sourire.

— Tiens, vous voilà, monsieur Durtal. Matteo m'avait dit que vous aviez demandé à rencontrer mon cousin. Il est absent et sera navré de vous avoir manqué.

N'est-ce pas que Maderno a un très grand talent ?

— Très grand, en vérité.

— Je suis monté pour vous demander de venir prendre l'apéritif chez moi. Je me réjouis que vous n'ayez pas oublié le chemin du palais Torriti.

Je mentis sans vergogne :

— J'ai gardé du dîner où vous m'aviez convié un souvenir trop charmant pour ne pas souhaiter un revoir.

Il était tout sourire, toute gentillesse.

— Pardonnez-moi de vous précéder dans cet escalier. Je vous montre le chemin.

Je lui fis compliment de sa demeure et le suivis le long de l'escalier extérieur qui surplombait la première cour.

— Quel beau temps, n'est-ce pas ? La lumière de Rome est presque africaine dans sa pureté.

Il m'introduisit dans le salon aux solives peintes où il avait reçu ses invités, le soir de ma première visite. Il y faisait presque sombre. Quelques lampes discrètes éclairaient les tableaux.

— Il y a longtemps que votre ami Séran ne m'a pas fait l'honneur de venir jusqu'ici. J'espère qu'il n'est pas souffrant ?

— Il est très occupé.

— J'ai peine à croire aux occupations d'un diplomate. Ce métier-là ne devrait pas vous permettre de négliger vos amis.

Je n'en étais plus à un mensonge près.

— Nous avions l'intention, Séran et moi, de vous inviter un soir prochain, ainsi que la comtesse Selényi et sa jeune protégée. Comme vous auriez fait maigre chère chez nous, peut-être aurions-nous porté notre choix sur l'hôtel Excelsior ou sur le restaurant de l'Hosteria dell'Orso.

— Je vois que vous connaissez bien Rome, dit le comte avec un sourire nonchalant. Mlle Montauti, je le crains, ne pourra être des nôtres. Elle a été très souffrante ces jours derniers et Dorottya l'oblige à garder la chambre.

Lucrezia avait couru un grand danger. Pour empêcher qu'elle fût reconnue, ses gardiens ou ses complices trouvaient préférable de ne pas l'exposer davantage.

— Nous pourrions remettre notre invitation. Séran serait désolé de ne pas revoir votre charmante amie.

Orlando Torriti ne répondit pas. Il se dirigea vers la cheminée et agita un cordon de sonnette.

— Je vais demander à Matteo qu'il nous prépare un champagne-cocktail meilleur que celui de l'autre jour.

J'allumai une « gauloise ». Les yeux tournés vers les tableaux qui ornaient les murs du salon, je cherchais à comparer mon souvenir du portrait de la grande-duchesse peint par Maderno au Bronzino des Torriti qui avait l'autre jour attiré mon attention ; accroché dans une savante pénombre le portrait n'était pas le même.

— Vous regardez mon Bronzino, cher monsieur ?

— Ce n'est pas celui que j'avais admiré l'autre soir.

Orlando Torriti était debout à mon côté. Sa voix caressante me déchirait les nerfs.

— Vous le regardez de trop près. Tous les tableaux gagnent à être contemplés avec un certain recul et sous un angle déterminé. Jean-Emmanuel m'a dit que la peinture vous intéressait peu. Vous vous privez de grandes joies, mais vous vous épargnez aussi bien des chagrins. Il est pénible de devoir se séparer des chefs-d'œuvre qui sont votre héritage et dont vos ancêtres ont fait collection. La nécessité est une marâtre.

— Que voulez-vous dire ?

Il eut un petit rire plein d'un indulgent et aristocratique mépris.

— J'ai été obligé de vendre au colonel Pierson le Bronzino que vous aimiez. Aucune considération ne tient devant l'impatience des créanciers.

Matteo nous apportait sur un plateau deux verres de champagne-cocktail. Le comte Orlando le goûta et daigna le trouver à son goût. Ce Bronzino-là — un autre portrait de jeune homme — me paraissait plus beau et plus original que l'autre. J'en fis la réflexion.

— Vous êtes un amateur éclairé, monsieur Durtal. Me séparer de celui-ci me ferait beaucoup de peine, en vérité.

— Je croyais que toutes les œuvres du Bronzino étaient connues et qu'elles étaient peu nombreuses ?

Torriti fit lentement tourner son verre qu'il tenait

d'un geste négligent comme d'autres la rose qu'ils respirent.

— A quelque chose, malheur est bon. La destruction d'une de nos villas de campagne, dans les environs de Florence, a mis à jour une collection de chefs-d'œuvre inconnus.

— Tous des Bronzinos ?

— Oui. Mes ancêtres, alliés aux Médicis, avaient pour lui une prédilection particulière. Les meilleurs experts, appelés à donner leur avis, ont été formels. Ce peintre avait laissé à ma famille les plus belles de ses toiles.

Le lundi suivant, je fus étonné de voir la presse italienne consacrer de longs articles au cas de la grande-duchesse Olga. Les journalistes racontaient la tragique survie de l'avant-dernière fille du tsar. Découverte dans un camp de déportés en Allemagne, elle avait préféré se taire et ne pas révéler son identité. La crainte d'être victime de nouveaux attentats lui avait fait choisir une existence cachée. Des photographies qui la montraient de profil et de face, de vieux clichés de la famille impériale, de Nicolas II, de la grande-duchesse Olga à Saint-Pétersbourg, illustraient l'histoire de la rescapée. Les journaux annonçaient pour le lendemain la suite du récit de la grande-duchesse, des révélations sur le massacre de sa famille à Ekaterinbourg et sur les circonstances qui lui avaient permis d'échapper à la mort.

Séran entra dans mon bureau, le *Messagero* à la main.

— Avez-vous vu, Thibaut ?

— Si pas cet article, un tout semblable.

Il alluma une cigarette, regarda les photographies, les compara sur une feuille et sur l'autre.

— Qu'en pensez-vous ?

— Rien encore. C'est une histoire Torriti, j'imagine.

— Curieux, dit Jean-Emmanuel. J'ai eu le même sentiment. Mais dans quel dessein ? Qu'ont-ils à y gagner ?

Je souris :

— Une fortune. Soyez-en certain.

Le lendemain, la campagne de presse reprit de plus belle. Je m'étonnai que l'on n'eût pas reproduit le portrait de la grande-duchesse par Luigi Maderno. Peut-être les Torriti craignaient-ils une enquête sur la provenance de la parure dont le cou et les bras de l'impérial modèle étaient ornés. Puis on parla du prochain départ de la princesse Olga pour les Etats-Unis.

Il m'était difficile d'obtenir des nouvelles de Lucrezia et plus encore de la retrouver ; je ne cessais de penser à elle qui connaissait le mot de l'énigme. Voleuse ou victime, je souhaitais pénétrer avec elle au cœur de la nuit où elle vivait depuis tant de mois pour l'obliger à regarder du côté de la lumière. Avait-elle apporté la parure ramenée d'Afghanistan pour la livrer au comte Orlando ? Pouvait-elle croire que la grande-duchesse Olga y eût droit bien davantage que ceux qui lui avaient donné mission de l'acheter ? J'avais peine à le croire. Lucrezia était douée d'intuition autant que d'intelligence. Malgré sa discrétion, sa tristesse et sa rare distinction, la supposée rescapée du massacre d'Ekaterinbourg était une simulatrice. Et j'ignorais pourquoi Fabrizio Allegri était en prison.

Un matin, je me rendis à la villa Médicis. C'était novembre et le temps restait beau. En quittant la villa, je décidai de me rendre à pied jusqu'au «Casina Valadier» où je pensais déjeuner. Le Pincio n'avait que peu de visiteurs ce matin-là. Les arbres du parc gardaient encore quelques feuilles dorées. La promenade jusqu'à l'esplanade, où s'élève le gracieux édifice construit par l'architecte français Valadier qui dessina le parc du Pincio et la place du Peuple, me parut pleine de charme. Le maître d'hôtel s'empressa vers moi :

— Vous seriez mieux dans l'un des salons.

Je préférai la terrasse d'où l'on découvre une très belle vue de Rome. Après avoir commandé un apéritif j'ouvris le menu qu'on m'apportait. Une voix vigoureuse, des cris de femme, les protestations du maître d'hôtel et des garçons qui voulaient se débarrasser d'un importun, troublèrent ma paix. Je me levai pour jeter un coup d'œil sur la cause de tout ce bruit. Luigi Maderno, le teint cramoisi, cheveux roux en bataille, les yeux furieux ne parvenait pas à forcer le barrage. J'allai à son secours.

— Que monsieur soit mon invité. Relâchez-le, je vous prie.

Le maître d'hôtel dit d'un ton confidentiel :

— Je me permets de faire remarquer que cet homme est ivre.

— C'est un artiste. Un grand peintre. Il a le droit d'être ivre si cela lui fait plaisir. Je prends sur moi la responsabilité de ses actes.

Le maître d'hôtel donna un ordre aussitôt obéi par ses subordonnés. En boutonnant sa veste, Luigi Maderno s'avança dans le couloir aux fresques aimables et me vit.

— Monsieur Durtal, vous êtes mon sauveur.

Je serrai la main qu'il me tendit, le prit par le bras et l'entraînai vers la terrasse.

— Venez déjeuner. Manger vous fera du bien. Que désirez-vous ?

— Boire. J'ai soif.

Il s'effondra sur une chaise et posa devant le couvert une carte postale qu'il n'avait cessé de serrer dans ses doigts. J'y jetai un coup d'œil : c'était une photographie du chef-d'œuvre du Titien qu'on appelle peut-être à tort. *« L'Amour sacré et l'Amour profane. »* Faute d'obtenir une réponse de mon compagnon, je fis signe au maître d'hôtel et lui commandai un repas à ma convenance.

— Vous nous donnerez du vin blanc, du frascati. Ce menu vous convient-il, Maderno ?

Il ne répondit pas.

— Vous feriez meilleure chère chez les Torriti.

Le peintre cacha la carte postale dans sa large main.

— Le pain de l'esclavage est amer.

Je ne voulus pas le presser de questions.

— Eh bien ! dit-il d'une voix coléreuse, est-ce qu'on m'apporte à boire, oui ou non ?

— Que désirez-vous prendre, Maderno ?

— N'importe quoi. Je ne suis pas encore assez ivre. Quand je serai tout à fait saoul, je vous raconterai quelque chose.

— Ne le regretterez-vous pas ?

— Au point où j'en suis, que me reste-t-il à regretter ?

On nous apporta deux campari. Maderno vida son verre d'un trait et eut un rire grinçant.

— Dieu, dit-il, quelle amertume ! L'image même de la vie de l'artiste. Encore un campari !

Quand on l'eut servi mon compagnon leva son verre et, à travers sa sombre couleur, admira le panorama doré de Rome. En face, la coupole de Saint-Pierre et le palais du Vatican ; à nos pieds, au travers des arbres, la place du Peuple. A droite, le Monte Mario ; à gauche, la partie non vallonnée de la cité que tache de blanc le regrettable monument de Victor-Emmanuel, puis la colline du Janicule.

Après avoir bu, il reprit en main la carte postale.

— Vous savez ce que je contemple et étudie ainsi ?

— Une assez mauvaise photographie d'un chef-d'œuvre du Titien.

Sa voix éraillée se fit douce.

— Je suis allé tout exprès à la galerie Borghèse, ce matin. Je voulais admirer cette toile. Pensez-vous que je sois capable de faire un Titien ?

La question me prit au dépourvu.

— Allons. Répondez franchement. Vous voilà muet. Me croyez-vous capable de faire un Titien ?

— Je n'en vois pas la nécessité. Faites un Maderno. Personne ne s'attend à ce que vous peigniez l'*Amour sacré et l'Amour profane*.

Il éclata d'un rire d'ivrogne.

— La belle parole désintéressée que voilà. Mais, cher monsieur, l'ennui c'est qu'on souhaite que je fasse un Titien.

— Qui, « on » ?

Son haleine empestait l'alcool. Ses yeux bleus étaient injectés de sang. D'un ton confidentiel, il me dit :

— Je l'appellerais le comte Lucifero, si ce nom-là n'était pas déjà honorablement porté. — Et il fit sous la table le geste de l'index et du petit doigt qui conjure le mauvais sort. — Vous avez compris, n'est-ce pas ?

Je fis signe que oui.

— Voyez-vous, j'ai essayé les Raphaël et les Botticelli. Je n'ai pas réussi. Je ne serai jamais Raphaël. Je ne serai jamais Botticelli ni Le Titien. Et pas davantage Luigi Maderno. Je ne serai jamais plus Luigi Maderno. Pouvez-vous admettre cela ?

Le désespoir dont il faisait preuve me tourmentait

146

plus que les éclats et les fureurs qui l'animaient souvent.

— Vous êtes Luigi Maderno. Personne au monde n'a le pouvoir de détruire votre talent.

Il déchira le papier qui enveloppait les gressins.

— Ah ! vous croyez cela, vous ? Innocent Thibaut Durtal. Ce n'est pas Luigi Maderno que vous avez devant vous. Il est temps de vous détromper. Je suis devenu, je suis à jamais le Bronzino.

Il ne retenait pas ses hoquets.

— Cela vous surprend, n'est-ce pas ? Je puis en parler. La vérité, personne ne la connaîtra jamais. Aucun expert au monde n'est capable de la deviner. Les marchands de tableaux, les directeurs de galerie, les amateurs d'art... Des ânes, tous des ânes... J'ai tué de mes propres mains Luigi Maderno.

Il regardait avec horreur ses mains puissantes, aussi rouges que son visage.

— Désirez-vous des explications ? Alors, donnez-moi à boire.

Le serveur apportait dans un seau à glace la bouteille de frascati. Je lui fis signe de ne pas attendre que le vin fût rafraîchi et il emplit nos verres.

— Fameux, dit Maderno en faisant claquer sa langue. Pensez-vous que le Bronzino ait été ivrogne ? Je finis par le croire. Puisque ma peinture est celle du Bronzino, puisque ma vision du monde est la sienne et les siens mes goûts comment ne pas croire que j'ai hérité, avec ses couleurs et son dessin, de son âme ? Un talent même de cette qualité, n'est-ce pas la personnalité d'un être, bien plus que la forme de ses yeux et de son nez, sa carrure ou le timbre de sa voix ? Si je n'étais pas le Bronzino, pourrais-je peindre des Bronzino au point de tromper tous les experts du monde ?

Il n'attendit pas ma réponse. Il n'attendit pas davantage qu'on lui remplît son verre. Il remit la bouteille dans le seau à glace et but, tourné vers moi.

— Vous vous demandez peut-être comment tout cela a commencé ? Je crevais de faim. C'est arrivé à plus d'une peintre. La misère, je l'aurais acceptée, mais les quolibets, les moqueries, mépris des imbéciles devant une œuvre qu'on sait saine, qu'on sait originale et forte, oui, cela, je le supportais mal. Je peignais. Je n'ai jamais autant peint, avec cette merveilleuse allégresse que je ne retrouverai plus. Souvent, l'argent me manquait pour acheter des toiles et des couleurs. J'ai peint sur les murs, sur les portes des garnis affreux d'où l'on m'expulsait sans tarder, parce que je ne parvenais pas à payer le loyer. Mes toiles étaient partout refusées. J'ai peint la famille entière de mon boulanger, un brave homme. Vermeer en avait fait autant. Des Vermeer contre du pain ! Imaginez-vous cela ? Un exemple venu de si haut aurait dû me rendre humble. Personne ne voulait de Luigi Maderno. Un jour où j'avais essayé de placer dans une exposition un portrait de jeune homme, — l'un de mes camarades, sculpteur, m'avait servi de modèle, — un critique écrivit ces lignes dédaigneuses : « Après avoir jeté un regard vite lassé sur la toile de Luigi Maderno, *Portrait d'un Artiste,* on se demande avec chagrin : où est le Bronzino de notre génération ? Nous voudrions confronter ces jeunes prétentieux avec les œuvres de nos maîtres et leur dire : « Qui d'entre vous serait capable de faire un Bronzino ? »

« La bêtise de cette critique me bouleversa. C'est alors — au début de 1940 — que je rencontrai les Torriti. L'avenir s'annonçait mal. Le comte Orlando admira mes toiles et m'en acheta une. Il me sauvait ainsi de la faim. Il me parut un guide charmant et très éclairé. Nous en vînmes à parler de la critique qui m'avait révolté et je lui dis :

« — Bien sûr, je serais capable de faire un Bronzino.

« Le comte Torriti me mit au défi de le faire, le défi, la forme la plus subtile de l'encouragement.

« — Vous avez trop de talent, me dit mon mauvais génie. Nous allons donner une leçon à cet imbécile. Mon aide vous est tout acquise.

« Je me mis au travail. Un faux ne se réussit pas du premier coup, ne fait pas un Bronzino qui veut. Il devait exister pourtant quelque secrète communication entre le génie de ce peintre et mon pauvre talent, parce que je menai à bien la gageure. Le comte venait souvent me voir et m'encourageait. Il triompha quand le résultat répondit à notre attente.

« — Laissez-le-moi, me dit-il. J'ai deux authentiques Bronzino. Je vais y ajouter le vôtre. (C'était le portrait supposé d'une jeune princesse Torriti.) Au cours d'un cocktail, nous convoquerons le ban et l'arrière-ban des amateurs d'art de ce pays.

« La critique fut unanime. Des trois Bronzino, le mien, le faux, fut le plus admiré. »

Le maître d'hôtel et un serveur s'étaient approché pour servir le déjeuner.

— A quelque temps de là, je demandai au comte Orlando de me rendre le portrait. La preuve était faite. Il eut suffi de donner un peu de publicité au jugement imbécile des critiques et je me serais senti vengé et, du même coup, soutenu par l'opinion publique. Il me regarda avec cet air pervers et caressant que j'ai trop bien appris à connaître.

« — Mais, cher ami, je venais justement vous apprendre une bonne nouvelle. J'ai vendu votre Bronzino au directeur des musées de province. Je ne sais encore dans quelle ville il suscitera l'admiration du public, mais je tenais à vous dire qu'on m'en a donné un prix flatteur. Vous trouverez juste, j'en suis sûr, que je garde une partie de cette somme, ma foi, assez coquette.

« Il s'agissait de trois cent mille lires, la fortune. Pour un temps à l'abri du besoin, j'allais pouvoir me consacrer à mon œuvre. Aussitôt, je me ressaisis. Accepter cette somme, c'était sceller ma fraude et me rendre coupable d'un vol. Je rendis les billets au comte Orlando.

« — Je ne puis vous suivre sur ce terrain-là, lui dis-je. Ce n'était qu'une plaisanterie, vous le savez bien. Je ne suis pas un voleur.

« Son regard se fit plus caressant.

« — Qui vous parle de vol ? Les experts n'ont-ils pas à l'unanimité reconnu la valeur supérieure de votre toile ? N'ont-ils pas salué le *Portrait de la princesse Torriti* comme le chef-d'œuvre des chefs-d'œuvre ? Vous avez ajouté au patrimoine artistique de notre pays, que dis-je ? du monde entier.

« Ne croyez pas que j'essaie de me justifier. Je ne me sens coupable qu'envers moi-même, qu'envers l'artiste que j'étais et le grand créateur que j'aurais dû devenir. J'ai livré Luigi Maderno pour trente deniers. Cette forme de l'humain, la plus haute après le saint, l'artiste, je l'ai

149

sacrifiée pour rien, pour du pain et du vin et un toit sur ma tête.

Il ne buvait plus. Son chagrin me faisait mal. J'avais vu les toiles qu'il avait créées. Il avait été le dépositaire d'un très grand talent pour lequel, à l'heure du jugement, il lui faudrait rendre des comptes.

— Orlando Torriti fut habile. Il sut plaider, convaincre, me menacer. Que valait ma parole contre celle d'un Torriti ? N'avais-je pas signé ce tableau de la signature du bronzino, ne l'avais-je pas confié au comte Orlando ? Il opposerait à ma fraude les preuves de sa bonne foi. J'étais perdu.

Il but une gorgée de vin et reposa le verre. Tout en me parlant, il déchirait en petits morceaux la carte postale qu'il avait achetée à la galerie Borghese.

— L'Italie entra en guerre. La vie devint plus difficile. Orlando Torriti m'imposa un marché : Hermann Gœring, grand amateur d'art, comme chacun le sait, avait souhaité acquérir un ou deux Bronzino. Les Torriti s'étaient fait fort de les lui procurer. Ils usèrent d'arguments patriotiques. Je n'aimais pas les Allemands. Tromper Gœring était un acte agréable aux dieux. Du même coup, j'étais pris dans l'engrenage. Je commençai à peindre des Bronzino pour l'exportation. Les Allemands n'hésitaient pas à les payer un grand prix. De peur que notre trafic fût surpris, le prince Torriti m'offrit de vivre chez lui et joua les mécènes. Ainsi se passa la guerre. A la libération, quand l'Italie se mit du côté des Alliés, les Torriti trouvèrent un nouveau marché pour mes œuvres. Beaucoup ont déjà passé l'Atlantique. Mes maîtres ne me laissent pas sans argent. Je suis, bien sûr, leur prisonnier. Je pourrais tout leur pardonner, mais non pas d'avoir tué la flamme créatrice en moi, mais non pas d'avoir détruit l'être que j'étais. Il n'y a plus de Luigi Maderno, le peintre, il n'y a plus de Luigi Maderno, l'homme. Je suis le fantôme de Bronzino revenu sur la terre, le vil, le pâle imitateur d'un artiste que j'aurais pu sinon dépasser, tout au moins égaler. Je n'ai plus de nom, je n'ai plus d'existence, je ne suis plus que l'ombre d'une ombre. J'ai tué pour vivre. Et pourtant, j'avais du talent !

D'un geste, il balaya les morceaux de la carte postale.

Je l'écoutais avec émotion. Les serveurs, étonnés, se tenaient à distance. Tout à coup, Maderno éclata d'un grand rire.

— Mesurez mon triomphe. Les critiques qui m'ont acculé à la servitude et à la destruction ne sauront jamais distinguer un vrai Bronzino d'un Bronzino que j'ai créé. Ils en sont incapables, m'entendez-vous ? Telle est ma revanche.

Je ne lui demandai pas pourquoi il m'avait choisi pour confident. En admirant ses œuvres d'autrefois, j'avais fait la preuve que j'étais digne de l'écouter et de recevoir en dépôt ce qui lui restait de conscience et d'âme.

— Et le portrait de la grande-duchesse ?

Il me regarda. D'un geste maladroit de ses mains si habiles, il aplatit ses cheveux.

— Pour échapper au Bronzino. J'ai tout essayé. J'ai feuilleté les journaux du début du siècle ; je me suis procuré de vieux numéros de votre *Illustration* pour garder en moi la physionomie du tsar, pour évoquer dans ce visage russe, entièrement différent des modèles dont je m'étais inspiré, une ressemblance qui pouvait devenir mon salut. Je me refusai à l'interprétation. Je m'acharnai à négliger les tentations de l'art et à n'être qu'un parfait photographe. Faux pour faux, je tenais à ce que ma grande-duchesse fût une grande-duchesse russe, une authentique fille du tsar. Je rejetais, j'oubliais, je foulais aux pieds la Renaissance italienne. J'ai beaucoup travaillé... Au bout des efforts, de la tâche accablante, de cet autre mensonge, c'était Luigi Maderno que je voulais retrouver. Vous avez vu la couleur, la pose, le décor, l'expression, le regard... Vous avez dit : « On dirait un Bronzino... »

XI

Quand, tourmenté par le désir de revoir Lucrezia, je fis part à Séran de mon intention de l'inviter en même temps que la comtesse Selényi, il manifesta peu d'enthousiasme.

— Libre à vous. Vous ne comptez pas sur moi, je suppose ?

— Tout au contraire. J'espère que vous voudrez bien vous joindre à nous.

Il me regarda d'un air indécis :

— Vous ne parlez pas sérieusement ?

— Très sérieusement... Vous me rendrez service. Mon avenir est en jeu.

Il manifesta autant de réprobation que de gêne, comme si je l'avais attiré par traîtrise sur un terrain où il risquait de se couvrir de ridicule.

— Je ne vous comprends pas.

— Vous me comprendrez bientôt. Ce n'est pas à la légère que je demande votre aide...

Je me levai et fis les cent pas en m'arrêtant pour contempler par la fenêtre les jeux des enfants, ombres en tabliers noirs, sur la blancheur dorée de la place Navona.

— Comment vous dire ce que j'éprouve, Thibaut ? Il

me semble que vous connaissez depuis longtemps cette Lucrezia Montauti ?

Je tournai la tête :

— Lucrezia Montauti ? Depuis aussi peu de temps que vous. Nous nous sommes connus, en effet, dans d'autres circonstances, au grand soleil. Votre présence m'empêchera de livrer un secret qui mettrait en danger l'existence même de cette jeune fille.

— Jeune fille !... Comme vous y allez !... Une voleuse... une fille que la police recherche pour d'innombrables indélicatesses... et j'emploie à dessein un euphémisme...

Il me dit, les yeux attristés :

— Elle a été mêlée au vol dont j'ai été victime. Je veux bien l'oublier, mais comment faire fi de l'avertissement que m'a donné Montignac ? « Ne vous montrez pas trop avec les amis des Torriti, Séran. On pourrait se servir de vous. Quand on se livre à certaines activités répréhensibles, il est souhaitable d'avoir des diplomates dans ses relations. La police italienne m'a laissé entendre qu'elle surveillait étroitement la comtesse Selényi, sa jeune protégée et son entourage. Il s'agirait d'un trafic de faux travellers-chèques. Il y a trois semaines, des policiers en civil ont failli prendre sur le fait Lucrezia Montauti. Elle est parvenue à s'enfuir du restaurant Passetto, où elle réglait une importante addition. »

Jean-Emmanuel guettait une réaction. Je dis seulement :

— Il est grand temps de faire la lumière sur le vrai visage de Lucrezia :

En parlant j'essayais d'abord de me convaincre de son innocence.

La comtesse Selényi accepta l'invitation avec empressement et, deux jours après, nous nous retrouvions pour dîner à l'Hosteria dell'Orso. Orlando Torriti devait nous rejoindre plus tard dans la soirée. Nous arrivâmes les premiers, Séran et moi. J'aime ce très ancien Hôtel de l'Ours, qui est situé derrière le palais Primoli. D'un petit édifice Renaissance construit dans la seconde moitié du quinzième siècle, on fit, vers 1520, une hostellerie qui, dès lors, jouit parmi les étrangers d'une grande réputation. Rabelais, Joachim du Bellay, Montaigne y logèrent.

Au dix-septième siècle, l'hôtel, crédit perdu, déclina ; tant bien que mal, il continua, au cours des siècles, à accueillir des voyageurs. Il venait d'être transformé avec goût, avec recherche même, en un restaurant que je trouvais plein de charme et d'attrait.

Un grand feu de bois brûlait dans le hall. Sans nous arrêter au bar bleu ciel et or où jouait un pianiste noir, sous les beaux miroirs éclairés aux chandelles, par l'escalier à la rampe vermoulue, orné de tapisseries et de tableaux à sujets mythologiques, je suivis Séran jusqu'au premier étage. J'avais retenu une table près des fenêtres à meneaux qui s'ouvrent sur le Tibre. L'orchestre jouait.

— Dieu merci, dit mon compagnon, il y a peu de monde. La comtesse Selényi découragerait de plus braves que moi. A la seule pensée d'être vu en sa compagnie, mes préjugés bourgeois me poussent à fuir.

Je le remerciai de sa présence. Inquiet, j'avais hâte et peur de retrouver Lucrezia. Comment m'apparaîtrait-elle ? J'attendais, de toute mon espérance, la jeune fille que j'avais un instant tenue dans mes bras sur la *Joyeuse* et à qui j'avais dit : « Pourquoi pleurez-vous ? » Sa réponse, je l'avais gardée dans mon cœur : « Parce que je n'ai jamais aimé... »

Aussitôt, essayant de me préparer à ma déception je l'évoquais fardée, flétrie, le regard vide entre les paupières maquillées et les cheveux teints.

— Prenons quelque chose... J'ai besoin de boire.

Séran hocha la tête.

— Je ne vous reconnais pas là, Thibaut. Qu'espérez-vous donc en venant ici ?

— Comment le saurais-je ?

Il montra un peu d'impatience.

— Vous qui avez toujours su prendre vos responsabilités vous ne m'avez pas entraîné ici au hasard.

J'allumai une « gauloise », puis je fis signe au maître d'hôtel.

— Au hasard, non. Je suis certain que Lucrezia est en danger. Elle refusera de m'appeler. A moi de prévenir les périls qui la menacent et de la secourir. En la voyant, j'apprendrai peut-être quelque chose.

Le maître d'hôtel attendait.

— Que prenez-vous ? Un whisky ?

— Non, dit Séran. J'ai besoin de garder un esprit clair. J'attendrai le dîner...

Je demandai un porto. Tout à coup, je me revis sur l'*Amarante,* face au commandant portugais qui me disait : « Vous ne pouvez pas arrêter cette jeune fille... » Et je me souvenais de ses paroles : « Il faut être bien léger pour ne pas se fier aux apparences. Une telle pureté, une pareille fraîcheur. »

Qu'aurait dit le commandant de l'*Amarante* s'il l'avait vue, différente, attirante pour certains hommes qui ne subissent d'une femme que le plus grossier des appels, mais, pour moi, dégradée par la vulgarité de la ruse ? Chaque être suit-il en soi le lent cheminement de deux destinées ? Qui était Lucrezia Allegri tout au fond d'elle-même ?

— Voilà la comtesse suivie de votre jeune amie...

La comtesse Selényi portait un péplum de mousseline d'un mauve très doux. La couleur passée tenait peut-être à un long usage ou à une propreté douteuse. Les pieds nus dans des sandales aux lanières dorées, elle tenait entre les dents un long fume-cigarette en or. Son arrivée provoqua un remous d'attention parmi les dîneurs élégants de l'hôtel de l'Ours.

Sa stature imposante cachait Lucrezia qui portait la même robe d'organza vert qu'au dîner des Torriti. Ce soir-là, aucun bijou de pacotille ne détruisait l'ensemble ; cette discrétion rehaussait une toilette dont toute la grâce tenait dans la coupe et la couleur. Ses longs cheveux platine encadraient son visage. La coiffure ne lui seyait pas.

Séran me dit sans bonté :

— Ne m'aviez-vous pas dit d'elle : « Elle est teinte ? »

Je croyais savoir maintenant que ce regard vide cachait beaucoup de peur. Elle me sourit d'un air distant comme si elle m'avait aperçu de l'autre bout de la salle ; ses yeux se tournèrent vers mon compagnon. Avec un mélange d'embarras et de plaisir, je la vis rougir et se troubler. La comtesse Selényi avait déjà bu plus que de raison. Ses aïeux lui avaient légué l'art de s'enivrer en restant lucide. Le vin ne lui ferait ni trahir un secret ni relâcher sa surveillance.

J'avais choisi ce restaurant parce qu'on y dansait. A la faveur d'une invitation, glisser quelques mots à Lucrezia deviendrait possible. Mon espérance n'allait pas au-delà. Je me souviens de ce dîner. Du début à la fin, Lucrezia resta silencieuse. Elle ne dominait qu'à ce prix sa gêne et son angoisse. C'est à peine si elle mangea. Parfois, elle lançait, entre ses cils alourdis par le fard, un regard autour d'elle. Elle baissait aussitôt les yeux. Elle ne craignait pas moins l'attention de Jean-Emmanuel. J'avais le sentiment que, volontairement, mais de la même façon anxieuse, elle s'efforçait de me tenir à l'écart.

La comtesse Selényi but beaucoup, fuma cigarette sur cigarette, — les nôtres, comme il se devait, — mangea avec appétit et tint à elle seule toute la conversation.

— Non, pas de viande, cher monsieur. Pas de poisson, non plus. N'aviez-vous pas remarqué que j'étais végétarienne ?

Cette particularité ne m'avait pas frappé.

— Comment peut-on se nourrir de cadavres ? Non seulement je ne puis vaincre ma répugnance pour la chose tuée, pour ces restes dont vous faites vos délices, mais j'éprouve un très désagréable sentiment d'anthropophagie en voyant dans vos assiettes la chair rouge, les os, la peau, le sang, planches d'anatomie trop évocatrices de la mortelle destinée des hommes.

Séran et moi, d'un même mouvement, nous regardâmes, lui le poulet, moi l'entrecôte, que nous nous apprêtions à découper.

— J'ai quelque peine à vous suivre sur ce terrain, madame, dit Jean-Emmanuel. Après tout, vous détruisez, dans vos légumes, le même principe de vie. Tout cela n'est qu'une question de choix. Un légume est-il moins vivant qu'un bœuf ?

Nous eûmes droit, alors, à une longue étude comparée des us et coutumes de différentes sectes indoues.

— Dans ma jeunesse, j'étais catholique, puis protestante, et je mangeais de tout. Ensuite, j'ai voyagé aux Indes. C'est là que mes yeux se sont ouverts. Non contente d'être bouddhiste, je suis devenue hindouiste. J'ai étudié la religion jaïn. Comme ses adeptes, je me suis promenée pendant plusieurs saisons le visage bâillonné afin de ne pas avaler un insecte par mégarde. Comme eux, je ne me nourris pas de racines, — ni pommes de terre, ni carottes, ni fraises, — mais seulement de tout ce qui pousse au-dessus de la terre...

Lucrezia, le regard absent n'écoutait pas. Ses ongles étaient d'un rouge sanglant sur la blancheur de la nappe. Ses mains sans bagues étaient belles ; ses mains seules semblaient sentir, souffrir et écouter.

— Peu satisfaite par les religions qui avaient exigé de ma jeunesse des années de recherche et de combat, je décidai de trouver Dieu autrement. C'est ainsi que je devins membre d'une société de théophiles, puis présidente de cette société. Les femmes qui font partie de ma secte portent, comme moi, le péplum. Je leur ai imposé cet uniforme. Nous allons toutes pieds nus, hiver comme été, le corps à l'aise sous ces voiles, sans aucune contrainte, car la souffrance n'est pas le bon moyen d'atteindre à la vision de l'Eternel...

La fumée s'épaississait entre nous. Aucune recherche de la divinité n'interdisait à la présidente des théophiles la consommation d'un tabac pourtant interdit aux Parsis, aux Mormons et aux Christian Scientists.

Lucrezia se mit à tousser. Le visage caché dans les mains, elle essaya de dominer la quinte de toux. La comtesse Selényi, d'une main décidée, remplit son verre de vin et, sans s'interrompre, le tendit à Lucrezia.

— Avez-vous beaucoup d'adeptes ? demanda poliment Séran.

— Un certain nombre... Notre enseignement est tout de contemplation et de générosité. Nous ne croyons pas à la propriété, par exemple. Tout ce qui est aux autres est à nous ; tout ce qui nous appartient est aux autres. Si vous étiez initiés, je n'emploierais pas ce mot affreux : « appartenir ». Nous devons à la communauté nos talents et nos biens. Pourquoi ne remettrions-nous pas en circulation, pour le bénéfice de tous, ce que les autres s'arrogent le droit de posséder ?

— Un pareil enseignement ne vous attire-t-il pas quelques ennuis avec les lois en vigueur dans ce pays ? dit Séran ?

Je priai Lucrezia de m'accorder une danse. Elle reposa

le verre de vin où elle avait à peine trempé ses lèvres et, avant de me répondre, je la vis échanger un regard avec la comtesse.

— Certes, ma chère enfant, certes, allez danser. N'est-il pas écrit que Moïse dansa devant l'Arche ? La danse n'est-elle pas un hommage d'allégresse rendu au Seigneur ? Monsieur Séran, quand vous aurez fini de manger ce cadavre de poulet, vous voudrez bien sans doute louer avec moi le Tout-Puissant de cette façon ?

Le dévouement, l'amitié et l'esprit de sacrifice de mon camarade étaient mis à rude épreuve. Son visage se renfrogna.

En se glissant entre les tables, Lucrezia me précéda vers la piste étroite. Je souhaitais qu'il y eût d'autres danseurs pour mieux échapper à l'attention de la comtesse, mais nous étions seuls. Elle se laissa conduire. Je sentis qu'elle tremblait dans mes bras.

— Qu'avez-vous ? dis-je. Etes-vous malade ?

Elle rejeta la tête en arrière. Son regard me fuyait.

— Je crains de vous parler, Thibaut. Personne ne doit deviner notre entente. Je serai peut-être en grand danger, demain. Si vous recevez un paquet au palais Farnèse, pourrez-vous le garder pendant quelques jours à l'abri des recherches et des investigations ?

— Sans doute.

— Merci.

Nous passions devant l'orchestre. Le premier violon jouait très près du microphone. Il fallait parler haut pour se faire entendre, mais le regard aigu de la comtesse Selényri ne nous atteignait pas à cet endroit de la piste.

— Je serai à Viterbe, chez ma sœur, Laura Rainaldi. Si j'y parviens jamais...

— A quoi bon courir de tels risques ;

Elle eut un sourire triste :

— Qu'ai-je fait d'autre depuis plus d'un an ?

Lui dire ce que j'éprouvais et qui me déchirait le cœur n'aurait fait qu'ajouter à notre désarroi. Je demandai encore :

— Puis-je ouvrir le paquet ?

— Ouvrez-le, je vous en prie, et mettez-le en sûreté. Au cas où je ne serais pas en mesure de vous le réclamer, portez-le à la police — au fonctionnaire le plus important que vous puissiez intéresser à votre histoire — et dites-lui tout ce que vous savez de moi. Voici Orlando... Souriez. Ayez l'air de vous amuser...

Aurais-je réussi à donner le change ? Heureusement, je suis aussi piètre danseur que mauvais comédien. Quand l'orchestre se mit à jouer une valse, je bénis ma maladresse. Entraîner Lucrezia dans ce mouvement rapide suffisait, en exigeant toute mon attention, à me rendre naturel.

En passant près de nous, Orlando nous fit un gracieux salut.

La valse terminée, je ramenai Lucrezia à notre table. La comtesse Selényi, portant beau malgré une croissante ivresse, les doigts jaunes de tabac, discourait encore. Séran, de toute évidence, s'ennuyait à pleurer. Après s'être levé pour saluer Lucrezia, Orlando, sans cesser de la tenir dans son regard caressant, l'enveloppa de mystérieuses confidences. Elle l'écoutait d'un air complice et je me prenais à détester l'autre côté d'un visage dont, pendant tant de mois, j'avais aimé la clarté.

A minuit, je donnai le signal du départ. Le comte Orlando s'offrit à raccompagner les deux femmes. Sur le chemin du retour, j'eus quelque peine à calmer les fureurs de Jean-Emmanuel qui me reprochait sa soirée gachée.

Le lendemain après-midi, alors que je tenais une conférence avec Séran et deux de nos collègues, le concierge du palais Farnèse entra dans mon bureau et m'interrompit. Au lieu de se retirer, il attendit près de la porte.

— Qu'y a-t-il, Lesobre ?

Il me montra le paquet qu'il tenait.

— Excusez-moi de vous déranger, monsieur le secrétaire. On a apporté ce paquet pour vous. On m'a bien recommandé de le remettre en main propre...

— Qui « on » ?

— Une jeune femme blonde... une Italienne, mais qui parlait français. Elle avait l'air pressé. Elle était inquiète. J'ai promis...

— Vous avez bien fait.

160

J'avais hâte soudain de terminer cette conférence, de me débarrasser de mes collègues et de ne plus penser qu'à Lucrezia.

— Voulez-vous que nous remettions à plus tard la discussion de ce projet ? dit Séran.

Je le remerciai avec chaleur. Quand il voulut suivre nos camarades, je le retins :

— Je vous en prie, ne vous éloignez pas.

Je tournais et retournais le paquet enveloppé de papier brun et qui portait comme seule indication mon nom écrit en lettres capitales.

— Ouvrez-le donc, Durtal.

Certain de son contenu, je n'étais pas préparé à découvrir une aussi grande merveille. En écartant les dernières feuilles de papier de soie, — aucun écrin ne la protégeait, — je mis à jour la parure de rubis. Séran poussa une exclamation. Il lui fallut un peu de temps pour trouver la force d'exprimer et son étonnement et son admiration :

— Où avez-vous déniché cette splendeur ? Ce sont les joyaux de la couronne.

— Presque...

— Je n'ai jamais vu de rubis de cette taille, d'une couleur et d'un feu semblables. A quel rajah ces trésors appartiennent-ils ?

— Lucrezia me les envoie pour que je les mette à l'abri.

Mon compagnon se recula. Son visage exprimait le doute et la méfiance :

— Le produit d'un vol, sans aucun doute. Et vous voulez vous en faire le complice ?

La joie et le ravissement que la beauté de la parure avait mis dans mes yeux s'étaient effacés. Bien des détails de cette affaire m'échappaient. Ce que j'en devinais me remplissait le cœur de crainte. La vie de Lucrezia était en danger. Si Orlando Torriti s'apercevait de la disparition des joyaux, il devinerait sans tarder le nom de la coupable et se mettrait à sa poursuite. Moi seul pouvais la sauver. Elle m'avait dit : « Je serai à Viterbe, chez ma sœur, Laura Rainaldi. »

— Vous ne m'écoutez pas, Thibaut. A quoi pensez-vous ?

— Que Lucrezia est en danger et qu'il n'y a pas un instant à perdre...

Jean-Emmanuel se mit entre moi et la porte comme pour me barrer le passage :

— Vous n'allez pas vous compromettre pour une voleuse ? Songez que vous serez accusé de recel et que votre carrière est en jeu.

Je ne pus m'empêcher de sourire :

— Il s'agit bien de cela... Evidemment, vous ne comprenez rien à mon attitude. Seule, Lucrezia détient l'explication d'un drame dont le dénouement est proche. Pour l'instant, il s'agit de la sauver. Venez avec moi. J'ai besoin de votre voiture. J'ai besoin de vous. Aujourd'hui, enfin, l'inexplicable nous sera peut-être expliqué.

Il grommela :

— Dans quel guêpier allez-vous me fourrer ?

— Vous ne craignez pas le risque. Je vous affirme que nous serons du côté de l'honnêteté et du bon droit.

Il hésitait. Je décrochai le téléphone. Au concierge, je demandai les heures des trains pour Viterbe :

— Départ et arrivée.

— Ce soir même ?

— Oui.

— Je vous rappellerai, monsieur.

Je raccrochai le récepteur.

— Pouvez-vous me conduire à Viterbe, Séran ? Il y. va de la vie de Lucrezia.

— La mienne vaut bien la sienne.

Son bon sens et sa mauvaise humeur me firent également sourire.

— N'envisageons pas une telle extrémité. Notre présence suffira à rétablir l'équilibre. Nous ne pouvons pas laisser une jeune fille seule, en but aux machinations et à la vengeance des Torriti et de leur entourage. Cette aventure ne mettra pas vos jours en danger.

Le téléphone sonna.

— Le seul train de la soirée vient de partir, monsieur. Il arrivera à Viterbe à dix-huit heures trente-deux.

— Nous n'avons pas un instant à perdre. Je vous raconterai en route tout ce que je sais de cette histoire.

— Et la parure, l'emportez-vous ?

162

— Non, certes...

En roulant les joyaux dans les papiers de soie, j'admirai la perfection de la monture et je me demandai si je tenais là l'originale ou la création d'un orfèvre romain. Je rangeai le paquet anonyme dans le coffre où je mettais les documents. Avec soin, je fis le mot et contrôlai la fermeture de la porte blindée.

— Votre voiture est-elle au garage ?

— Oui. Où voulez-vous aller ? A Viterbe ?

— Je veux être à la gare avant l'arrivée du train. Il est probable que nous n'y serons pas seuls.

Séran me fit remarquer que nous n'avions pas d'armes. Cette idée cessa vite de nous tourmenter. L'un et l'autre, nous connaissions Viterbe, une pittoresque petite ville médiévale. Nous avions souvent flâné dans ses rues, admiré ses tours et ses palais, ainsi que le charme de ses balcons fleuris sous les ogives et les arches des fenêtres.

— Soixante-quinze kilomètres par la route... C'est une promenade.

Mais nous dûmes faire le plein d'essence et gagner la porte du Peuple à une heure où la circulation dans Rome était particulièrement difficile.

Quand nous atteignîmes la via Cassia, il était cinq heures vingt.

— Une heure pour faire soixante-quinze kilomètres, votre Fiat n'y parviendra pas.

Je l'avais piqué au vif. Il conduisit si vite qu'il prêta peu d'intérêt au récit que je lui fis de ma rencontre avec Lucrezia Allegri sur l'*Amarante*, près d'un an auparavant. Je regardai ma montre. Je cherchai à apercevoir, à travers la campagne, le train électrique qui relie Rome à Viterbe. Nous eûmes beau appuyer sur l'accélérateur et exiger du moteur un effort maximum, les dieux étaient contre nous. Nous n'évitâmes ni un encombrement, ni une sortie d'école, ni un troupeau de vaches sur la route, et nous arrivâmes à la gare de Viterbe avec cinq minutes de retard. Il y avait foule. Je crus d'abord que c'était la sortie des voyageurs, mais j'aperçus un car de police, une ambulance, et, en pensant à Lucrezia, je souffris l'enfer.

— Thibaut... Regardez... Mon voleur de l'autre jour... L'Américain... Assis au volant de cette voiture... C'est lui. Je ne puis pas en douter...

Pour moi, je ne voyais que l'ambulance. Mon cœur était si serré que respirer me faisait mal.

— Nous nous occuperons de lui plus tard. Le temps presse. Quelque chose de grave est arrivé.

Il claqua la portière de la voiture. J'emportai la clé que, dans son émoi, il avait oubliée. Ensemble, nous nous frayâmes un chemin à travers la foule. Toutes ces voix parlaient d'accident. Ces gens qui voulaient voir empêchaient les autres de voir.

— Que s'est-il passé ?

— Un voyageur est tombé.

Quelqu'un dit :

— Non. Un inconnu a voulu descendre du train de Rome à contre-voie. Un autre train entrait en gare. Il n'a pas pu l'éviter.

Lucrezia... Lucrezia... Je devais serrer les lèvres pour ne pas crier son nom, pour ne pas l'appeler de toute ma peur et de toute ma détresse. Avait-elle sauté du wagon afin d'échapper à ses poursuivants ? Comment la retrouver dans la cohue, parmi les badauds que l'annonce d'un malheur avait attirés, qui ne voulaient pas céder leur place, comme si le spectacle dont ils éprouvaient un curieux plaisir n'avait pas détruit une vie et apporté le tourment et le malheur ? En fendant la foule, je demandai au hasard :

— Qui est l'accidenté ?

— Un homme. Un homme petit aux cheveux blonds.

Et l'affirmation était aussitôt contredite par un autre témoin qui se croyait mieux informé :

— Une femme... une jeune fille... presqu'une enfant... J'ai vu sa robe claire.

Incapable d'attendre, il me fallait affronter la vérité. J'étais plus grand que la plupart des gens qui se collaient à moi comme pour m'empêcher de passer. La nuit était tombée. Seules, les lumières des trains éclairaient les quais encombrés. Alors, je vis passer entre les voies, à bonne distance de l'endroit où je me trouvais, deux hommes qui portaient une civière. Des agents de police se penchèrent pour prendre les brancards. En écartant la foule qui s'agrippait à moi, qui m'insultait, qui me refusait le passage, je me précipitai sans savoir si Séran me suivait ou pas. Un seul mobile me poussait de l'avant : arriver auprès de la civière, rejeter la couverture et connaître enfin l'identité de la victime. Ce que je racontai, aux agents de police, ce que je leur criai, dans un italien soudain défaillant, — que j'étais diplomate, que j'étais un ami de l'accidenté, que j'étais venu à sa rencontre, — ébranla sans doute leurs défenses, car ils me laissèrent m'approcher. Je soulevai la couverture qui cachait le corps. Mes mains tremblaient. J'avais vu tant de morts dans les années passées. Là, dans cette nuit, sur ce quai de gare, devant ce seul cadavre, mon courage défaillait. Je laissai retomber la couverture et je me reculai sans comprendre.

— Qui est-ce, Thibaut ? Vous l'avez reconnu ? Je le sais, je le sens... Qui est-ce ?

— Luigi Maderno, le peintre.

Séran voulut se pencher. Je le retins.

— Ne regardez pas... Il est méconnaissable... Sa main droite a été sectionnée.

Je me retournai avec espérance. Quelqu'un m'avait appelé, quelqu'un qui n'était pas Séran, une femme dont je reconnaissais la voix, mais non pas l'accent de désespoir et d'angoisse :

— Thibaut... Thibaut...

A travers la foule, dans la pénombre et l'odeur de la gare, j'avais aperçu Lucrezia. Deux hommes l'entraînaient. Auprès d'elle, il m'avait semblé reconnaître Orlando Torriti.

— Courage, Lucrezia !

Je criai de toutes mes forces. Sans prendre le temps de demander l'appui des agents de police, suivi de Séran, je voulus rejoindre Lucrezia et la sauver de ses dangereux compagnons. Les badauds qui n'avaient rien compris se jetaient devant nous, la question, la moquerie ou l'insulte à la bouche. Il fallait menacer, jouer des poings, écarter les curieux et les hostiles et n'avancer que lentement, mon Dieu, si lentement ! Par instants, le désespoir avait raison de moi. Après avoir ainsi longé le quai, nous parvînmes à la sortie. La foule, dans la gare, était moins dense. Je pus entrevoir Lucrezia à quelques pas de moi. Je l'entendis crier :

— Thibaut... Au secours...

Une main la bâillonna. La rage me donnait beaucoup de force, je me débarrassai sans presque les sentir de tous ceux qui me barraient le chemin. Je les poussai loin de moi. Je pus me libérer, courir, rejoindre Lucrezia. Orlando me fit face.

— Pourquoi cette poursuite, monsieur Durtal ? C'est volontairement que Mlle Montauti me suit. N'est-il pas vrai, Lucrezia ?

D'un mouvement sec, elle se libéra ; la main de Torriti lui serrait encore le bras. Les yeux pleins de colère, elle le regarda avec mépris :

— Lâchez-moi. Je m'appelle Lucrezia Allegri. Je suis la fille du bijoutier Fabrizio Allegri que vous avez volé et fait condamner à la prison. Je n'ai rien de commun avec vous, Orlando Torriti.

Il fut beau joueur. Il nous regarda l'un après l'autre. Je crus qu'il allait parler et crâner encore, mais il changea de décision et répondit à l'appel de ses compagnons qui l'avaient devancé.

— Fuyez, Orlando Torriti. Hâtez-vous. Vous êtes à jamais responsable de la mort de Luigi Maderno.

La dernière image que je garde du comte Orlando Torriti, c'est celle d'un homme soudain vieilli, aux épaules courbées, qui s'était mis à courir, sans tourner la tête, sans jeter un regard derrière lui, vers la voiture où le voleur de Séran l'attendait avec deux autres complices.

XII

Peu gourmand, Jean-Emmanuel croyait cependant aux vertus d'un bon repas. Aussitôt que nous fûmes arrivés place Navona, il appela la cuisinière :

— Nous avons une invitée, ce soir, Pia. En outre, M. Durtal et moi, nous venons de passer par de singulières émotions. Surpassez-vous donc. Faites-nous un dîner dont nous nous souviendrons. Nous avons besoin de réconfort.

Si la syntaxe et l'accent italien de Séran laissaient beaucoup à désirer, Pia le comprenait sans peine. Lucrezia avait aux lèvres un petit sourire fané. Debout dans l'embrasure de la fenêtre, elle regardait la fontaine qui lui avait offert, par une nuit de lune, le plus clair des abris. Elle portait le tailleur gris que je lui avais connu sur la *Joyeuse* ; ses cheveux étaient ramenés haut sur la nuque et noués dans un fichu de soie. Ses yeux n'étaient plus fardés. Elle avait ôté le vernis écarlate de ses ongles. Je la voyais enfin telle que je l'avais aimée. Dégagé, son fin et noble profil évoquait la fresque de Pisanello qui avait fait mes délices et qui nous montre la *Princesse de Trébizonde*.

Je m'approchai d'elle.

— Pourquoi restez-vous debout ? Vous devez être lasse.

Masque écarté, je retrouvais sur ses traits, dans ses larges yeux, le souvenir que j'avais chéri pendant les mois de séparation : l'inflexible simplicité d'un visage féminin. J'eus envie de la prendre dans mes bras et de la couvrir de baisers.

— Je pense à Luigi Maderno, Thibaut. Il s'est jeté sous mes yeux. J'ai vu le danger. J'ai voulu l'avertir. Il était trop tard. C'est à cause de moi qu'il est mort.

— Non, dis-je. C'est à cause de lui. Il n'en pouvait plus d'avoir tué Luigi Maderno, le grand peintre qui n'avait pas donné sa mesure. Il n'en pouvait plus d'être condamné à peindre des Bronzino, à s'identifier complètement au Bronzino. Il avait raté sa destinée. Tombée au pouvoir des Torriti, il avait vendu son pouvoir de créateur, son originalité d'artiste, sa renommée et sa gloire pour le pain et le vin de l'esclavage. Ce n'est pas vous qui l'avez précipité dans la mort.

Et je pensais à la mutilation que son corps avait subie comme au symbole de son pouvoir perdu.

— Je sais, dit Lucrezia.

Elle prit mes deux mains dans les siennes. Pourtant, je ne m'étais pas trompé sur l'*Amarante* quand j'avais compris combien tout contact lui était pénible. Le coin de sa bouche tremblait.

— Vous m'avez sauvée. Comme il est bon et bien que vous soyez là. Vous devriez...

Mais elle se tut, incapable d'en dire davantage. Enfin, elle m'apparaissait dans la réalité comme dans l'enchantement des rêves.

— Que voulez-vous boire ? dit Séran. Vous êtes pâles tous les deux. Oui, pâles et graves à faire peur.

Lucrezia sourit. Je remarquai avec peine sa fatigue, sa maigreur. Prête à déposer sa charge, elle semblait s'écrouler comme si le poids et la forme du fardeau seuls l'avaient tenue debout.

— Je ne bois pas.

— Vous ferez exception ce soir. Du champagne, voilà ce qu'il vous faut. Célébrons votre libération et votre retour parmi nous, honnêtes gens. Depuis qu'il vous avait aperçue chez les Torriti, à cette soirée mémorable, Thibaut ne vivait plus.

— Ce fut le plus dur moment de l'épreuve, dit

Lucrezia. Je m'y attendais si peu. Vous affronter dans mon humiliation et ma honte et être contrainte au silence... Là où j'étais, vous ne pouviez me suivre.

Je la revoyais sur l'*Amarante,* secouée par la mer, nous guidant, mes hommes et moi, vers le carré du commandant. J'avais admiré la fermeté de sa démarche qui trahissait une âme forte et une conscience innocente. Plusieurs mois d'une vie dont je ne faisais que deviner les affres avaient eu raison de la tranquille jeune fille qui portait sa joie comme une gerbe de fleurs. J'aurais voulu lui ôter des mains ses armes, de son regard, les flèches, de sa bouche, le silence.

— Là où vous étiez, je vous ai suivie, Lucrezia. Ma foi en vous n'a pas fléchi. J'allais appréhender une espionne sur un bateau neutre entre Noël et le Nouvel An et, quand je vous ai vue, j'ai cru en vous et je vous ai aimée. Sous un faux nom, dans un milieu corrompu, j'ai retrouvé une voleuse, une créature de mensonge et de calcul. La première angoisse dominée, je n'ai plus connu le doute.

Séran nous avait quittés. Nous étions seuls l'un devant l'autre. Les bras de Lucrezia ne se tendaient pas.

Les larmes aux yeux, très douce, avec cet air de fierté qui remplissait d'orgueil mon cœur d'homme, elle dit :

— Vous êtes venu me réclamer aux ombres comme Orphée, Eurydice. Si vous aviez cherché à voir mon visage, je serais morte pour la seconde fois.

Jean-Emmanuel entrait, apportant le champagne. Il eut la délicatesse de feindre la distraction sans remarquer la barrière de tendresse et de larmes qu'il y avait entre nous et le reste du monde.

— Vous avez besoin de réconfort, l'un et l'autre. Le champagne est une panacée. Après, quand vous aurez bu et fait honneur au festin que nous prépare mon cordon bleu, vous nous raconterez tout ce que nous brûlons d'entendre, Lucrezia Allegri.

Ce fut, il est vrai, un délicieux dîner. Je n'en avais pas fait de semblable depuis les repas que Lucrezia avait partagés à bord de la *Joyeuse.* Elle but, elle mangea, elle sourit et parut se détendre. Je retrouvai l'impression de bien-être qui émanait d'elle et que mes camarades de carré avaient ressentie autant que moi. Au dessert, sur les instances de Jean-Emmanuel, elle vida sa coupe de champagne qu'il emplit aussitôt.

— Enfin, un peu de couleur vous vient aux joues.

— J'ai montré un grand appétit. Qui dois-je remercier ? Le maître de maison ou Pia, la cuisinière ?

Elle qui avait promis de me rendre ma jeunesse avait, dans ces mois de luttes et de douloureuses aventures, risqué et presque perdu la sienne.

— A vous la parole, Lucrezia. Commencez...

Assis auprès d'elle, je posai ma main sur ses doigts.

— Parlez, nous vous écoutons.

Dans son regard, une prière se leva.

— La vérité vous appartient de droit, à vous qui m'avez aidée. Ma mission n'est pas encore finie. Dès demain, je vous demanderai vos témoignages et vos appuis.

Elle but une gorgée de champagne et passa une main hésitante sur son visage.

— Mon récit sera long, aussi long que celui que je dus faire à votre commandant, à bord de la *Joyeuse.*

« Ainsi donc, on me débarqua à Beyrouth. Ce fut grâce au commandant d'Harleville — et à vous, sans doute, Thibaut — que le colonel Aufray m'accorda une protection qui me sauva la vie. Le lendemain de notre séparation, alors que je me promenais au bord de la mer, près du Saint-Georges, une voiture manqua m'écraser. La chance me sourit. Le chauffeur rata son coup. L'endroit était moins désert que mes agresseurs ne l'avaient supposé. Des Libanais sortirent des boutiques et des cafés pour venir à mon secours ; le conducteur de la voiture, qui accourait vers moi, reprit le volant et disparut aussi vite qu'il le put. J'avais roulé dans la poussière. Le colonel Aufray voulut bien me recevoir. En lui montrant mes égratignures, je lui fis le récit de l'agression dont j'avais failli être victime et je parvins à l'émouvoir. Moins de trois jours plus tard, il m'obtint une place sur un avion qui partait pour Paris et s'arrêtait à Rome.

« Enfin, je retrouvai mon père. Il avait tremblé pour moi. A chaque instant, il s'était reproché de n'avoir pas accepté la proposition des princes. J'étais de retour, j'étais saine et sauve. Nous célébrâmes joyeusement —

bien qu'avec un peu de retard — ce Nouvel An, que vous aviez été le premier à me souhaiter. Je racontai aux miens notre rencontre, Thibaut. Comme vous le voyez, je me croyais au bout de mes peines.

« Le lendemain 6 janvier, Leurs Altesses vinrent à la bijouterie. Elles demandèrent à voir les rubis que je portais encore. Mon père les ôta de leur monture de fer et les plongea un à un dans un bain d'alcool. L'émail dont le marchand afghan les avait peints se dilua et les pierres apparurent dans leur beauté intacte. La princesse Sophie les admira, se tourna vers moi et me serra dans ses bras.

« — Vous avez mené à bien la mission dont nous vous avions chargée, Lucrezia, mon enfant. Je vous considérerai à jamais comme ma fille d'élection.

« Le prince Renato me remercia avec des mots qui me touchèrent. Il fut question d'une récompense que je ne désirais pas. J'avais épargné à mon père beaucoup de souffrances et de fatigues et réussi là où d'autres auraient sans doute échoué. Ma satisfaction était entière. Je ne cachai pas aux princes que j'avais été l'objet de plusieurs agressions et qu'ils nous obligeraient fort s'ils consentaient à reprendre le trésor qui leur appartenait. Ainsi, il nous serait enfin permis de goûter un repos bien gagné.

« — Nous nous réjouirions de pouvoir vous accorder cette faveur, Lucrezia, mais nous souhaitons rendre à la parure son éclat ; ces rubis doivent être sertis dans une monture digne de leur beauté. Heureusement, nous avons gardé un cliché de la monture originale. Vous seul, maître Allegri, parviendrez à reconstituer un dessin d'une difficile et inimitable délicatesse. Nous tenons à vous rassurer ; vous ne rendrez pas service à des ingrats.

« Contraint d'accepter, mon père se mit au travail. Il ne permit à aucun des orfèvres qu'il employait de toucher aux rubis impériaux. Chaque soir, nous enfermions la parure dans un coffre-fort impossible à forcer ou à transporter. Tout le jour, nous montions la garde. Je ne fus plus l'objet d'aucun attentat. Pourtant, nous ne dormions pas tranquilles.

« Le matin du mardi gras, nous reçûmes la visite de deux officiers de carabinieri. Ils se présentèrent :

« — Capitaine Alessandri, sous-lieutenant Longhi. Nous souhaiterions parler au joaillier Allegri. Où pouvons-nous nous entretenir tranquillement ?

« Mon père conduisit les officiers dans son bureau.

« — Je suis chargé d'une mission confidentielle et extrêmement délicate, dit le capitaine Alessandri en s'asseyant. La princesse Marie-José déplore la disparition d'un bijou de grande valeur qui lui vient de la famille de sa mère, la reine Elisabeth de Belgique, une broche ornée de treize diamants. Nous avons arrêté le voleur.

« Il a avoué avoir détruit la monture et vendu les diamants. Parmi les noms des trois bijoutiers qui se seraient rendus acquéreurs des pierres volées, il a cité le vôtre. Un receleur s'est sans doute adressé à vous pour vous en vendre une partie.

« — Je ne le crois pas, dit mon père qui avait pâli.

« — N'avez-vous pas acheté des diamants pendant ces derniers mois ?

« Or, pour obéir à la commande de Leurs Altesses, mon père avait dû se rendre acquéreur de quelques pierres d'une exceptionnelle pureté.

« — Je m'adresse toujours aux mêmes courtiers, capitaine Alessandri. Il m'arrive rarement d'acheter des objets précieux à des inconnus, de crainte d'être le complice d'un vol. Quelquefois, de vieux clients viennent me soumettre leurs bijoux avec l'intention de les vendre. Si j'en connais l'origine, je ne refuse pas de les aider.

« Le capitaine Alessandri multiplia les protestations et les affirmations apaisantes :

« — Pas un instant, votre bonne foi n'a été mise en doute, cher maître Allegri. Nous connaissons votre renommée d'artiste et votre réputation d'honnêteté. N'êtes-vous pas joaillier de la Cour ? Il se pourrait seulement qu'à la faveur d'un achat, vous fussiez devenu acquéreur d'une de ces pierres. La princesse y tient beaucoup. Chacun de ces diamants a une histoire. Nous sommes contraints de nous livrer à une enquête qui, quel qu'en soit le résultat, ne vous portera aucun préjudice, je vous en donne ma parole d'officier.

« Il produisit alors un mandat de perquisition et un mandat d'amener.

«Mon père affirma que l'entrée et la sortie de chaque pierre précieuse, comme de chaque achat d'or ou de platine, étaient inscrites sur ses livres. Le sous-lieutenant restait silencieux.

«— Prouver votre innocence sera facile. Je suis certain que votre comptabilité est en ordre. Mon collègue et moi allons nous mettre au travail.

«Ils tinrent parole. Pendant toute la matinée, non contents de consulter les livres et de contrôler le contenu des coffres-forts, les carabinieri interrogèrent les fournisseurs et les clients qui entraient dans le magasin et leur demandèrent des papiers d'identité.

«Le capitaine Alessandri ne perdait pas pour autant sa bonne humeur.

«— Vous connaissiez sans doute le colonel Allegri qui fut mon chef direct au début des hostilités ?

«— C'était notre cousin.

«— Le grand soldat... Quelle fin héroïque que la sienne... Savez-vous qui me parlait de vous l'autre jour ? Le colonel Monteverde.

«— Nous étions du même régiment pendant la première guerre.

«Heureux de se trouver en pays de connaissance, mon père bavardait avec l'officier. Celui-ci nous donna beaucoup de détails authentiques sur sa vie, sur celle de ses chefs, sur leur existence privée et les états de tous les régiments de carabinieri.

«A l'heure du déjeuner, le capitaine Alessandri se tourna vers son subordonné :

«— Vous avez fini l'inventaire, Longhi ? Eh bien ! nous voilà prêts. Nous allons emporter tout cela au greffe et faire lever le mandat d'amener. Bien sûr, vous nous accompagnez, maître Allegri, et vous aussi, mademoiselle. Soyez tranquilles, l'un et l'autre. Il ne s'agit que d'une simple formalité.

«Mais quand nous arrivâmes au tribunal, le greffe était fermé.

«— Les fêtes du mardi gras. Je n'avais pas pensé à cela, dit le capitaine Alessandri, consterné. Un ordre est un ordre et je ne puis que l'exécuter. Il m'est donc impossible de faire lever ce mandat d'amener. Mon devoir est de vous écrouer. En même temps, nous remettrons à la prison l'inventaire, les livres et les bijoux qui vous appartiennent. Dès demain, vous serez libéré et vos biens vous seront rendus.

« La voix du capitaine Alessandri était si rassurante et nos consciences si claires que nous ne fûmes pas effrayés. L'officier se tourna vers moi :

« — Quant à vous, mademoiselle, je vous conseille de chercher en ville un bon avocat et de l'emmener tout de suite auprès de votre père. Croyez-en mon expérience. Pour se protéger des grands personnages, aucune précaution n'est à négliger.

« Je suivis son conseil. J'embrassai mon père au seuil de la prison et je me mis à la recherche d'un avocat. J'y passai toute la journée. Le tribunal était fermé. Les avocats avaient quitté Rome ou étaient absents de chez eux. Je n'avais pas d'amis dans cette profession. Il était près de huit heures du soir quand je parvins à intéresser un certain Me Boldini au sort de mon père.

« — Dès demain à neuf heures, je serai à la prison, si vous voulez m'y rencontrer. Il est trop tard aujourd'hui, non seulement pour s'y rendre, mais pour que ma démarche ait quelque utilité.

« On me refusa la permission d'entrer en contact avec le prisonnier, ce soir-là. Le lendemain matin, mon père nous fit le récit de son infortune. A peine entré, séparé des officiers qui l'avaient amené à la prison, il fut déshabillé, fouillé, douché, dépouillé de tout ce qu'il possédait et jeté dans une cellule. Il eut beau protester de son innocence et réclamer à grands cris l'inventaire des livres et des bijoux que le capitaine Alessandri aurait dû faire enregistrer au greffe de la prison, à chaque fois qu'il ouvrait la bouche, on le rouait de coups. Il refusa toute nourriture et ne cessa de réclamer cet inventaire avec tant de force et de conviction qu'après s'être moqué de lui, les gardiens consentirent à interroger le greffe. La vérité éclata : rien n'y avait été déposé que les objets trouvés sur mon père au moment de la fouille. Le faux capitaine Alessandri et son complice étaient partis en emportant le produit de leur vol : parmi d'autres bijoux, la parure de rubis dont mon père avait presque terminé la monture.

« L'avocat fit téléphoner au quartier général des carabinieri. Jamais il n'avait été question d'arrêter le joaillier Allegri. Aucun bijou n'avait été volé à la famille royale. Nous avions été victimes d'un coup monté.

« Mon père fut libéré. Pour très peu de temps. Les assurances que son métier l'obligeait à contracter lui permirent de rembourser les pièces de valeur que des clients lui avaient confiées. Il supporta la perte des pierres et des métaux précieux qui lui appartenaient, mais sa ruine n'en était pas moins complète. Or, il n'avait pas songé à faire assurer la parure de rubis qu'il avait eu grande hâte de rendre au prince Renato et à sa femme. Son Altesse la princesse Sophie devint de ce jour-là une ennemie acharnée à nous perdre. Elle accusa mon père d'avoir été l'instigateur du complot et le complice des malfaiteurs. Elle le fit arrêter et condamner. Peut-être aurais-je été inquiétée, moi aussi, si je ne l'avais suppliée de me laisser en liberté. Je me fis fort de retrouver cette parure et de prouver l'innocence de mon père. Moi seule qui l'avais acquise, qui l'avais portée et défendue, étais capable de la reconnaître et de la restituer aux princes. Telle fut l'origine de la pénible aventure dans laquelle je m'engageai. De ce jour-là, la liberté et la réhabilitation de l'être qui m'est le plus cher au monde devinrent mon seul but.

Lucrezia se tut. Elle avait baissé les paupières. Son visage était défait. Je mesurai avec les difficultés la lucidité de son intelligence et la force de son caractère. Cette inquiétude qu'elle m'avait fait partager depuis le premier instant de notre revoir n'était qu'un faible reflet des tourments dans lesquels il lui avait fallu vivre. Je m'inclinai pour baiser sa main que je tenais dans la mienne.

Elle parut se réveiller d'un mauvais rêve. Son pauvre sourire fatigué et l'altération de ses traits me firent peur.

— A quoi bon continuer ce récit, Lucrezia ? Je vous crois. Le reste, je le devine. Je n'éprouve pour vous qu'un très grand respect et une dévotion complète.

Elle soupira. Sa respiration était haletante comme si, au bout d'une longue course, elle venait enfin d'échapper à ses poursuivants.

— Non, Thibaut. Après seulement, je me sentirai libérée.

Séran posa sa serviette sur la table et alluma une cigarette.

— Ne serions-nous pas mieux au salon ? Le récit de Lucrezia n'est pas encore fini. Un peu de café nous ferait à tous grand bien.

Nous nous levâmes de table. Je m'assis auprès de Lucrezia, sur un divan tapissé de jaune, loin des fenêtres aux rideaux tirés. De nouveau, je lui pris la main.

— Comment avez-vous retrouvé la piste des rubis disparus ?

Jean-Emmanuel avait posé la question. Celle que j'aimais était enfin auprès de moi. Rien d'autre ne m'intéressait qu'elle. L'écouter, c'était la retrouver.

— Mon père me parla de la comtesse Selényi. Elle lui avait paru suspecte. Elle avait payé un bijou avec trois travellers-chèques en dollars, faux tous les trois. Comme la somme n'était pas élevée, il ne l'avait pas fait poursuivre. Ceci se passait pendant mon séjour à Kaboul. Sans me connaître, elle s'était enquis de moi avec une curiosité surprenante.

« — Par elle, me dit-il, il est possible que tu découvres nos voleurs. Je n'en suis pas certain.

« Apprendre où elle demeurait était facile. Entrer en contact avec elle l'était beaucoup moins. Je me livrai à une enquête. Ce que j'appris fut loin d'être édifiant. Le détective privé qui me donna les renseignements dont j'avais besoin ne me cacha pas que la comtesse jouissait de puissantes relations. Sans cela, elle eût été arrêtée depuis longtemps.

« Aussitôt après la condamnation de mon père, je disparus. J'allai chez ma sœur, à Viterbe. Je teignis mes cheveux. Je m'habillai de façon voyante.

« Naples, plus que Rome encore, est plein de trafiquants de faux travellers-chèques. Là-bas, je m'en procurai quelques-uns, parfaitement imités. Quand j'eus bien répété ma leçon, je me présentai au domicile de la comtesse Selényi.

« — Je viens de la part de votre amie Marga Novaro. Elle m'a dit que, dans un cas difficile, je pouvais toujours m'adresser à vous.

« Marga Novaro — mon informateur me l'avait appris — se trouvait alors en Scandinavie. J'avais peu de

176

chances de la voir revenir à Rome. La police de Stockholm l'avait appréhendée pour un vol à la tire et elle purgeait un temps de prison dans une maison d'arrêt lointaine.

« — Chère, chère Marga, dit la comtesse Selényi. Mais vous lui ressemblez un peu, ma pauvrette. Que puis-je faire pour vous ?

« Je lui racontai que les Allemands avaient eu quelque bonté pour moi, qui me trouvais alors orpheline et sans ressources. Depuis la libération, ma position avait été délicate. On me reprochait mes relations nazies et je vivais d'expédients. Ne pouvait-elle m'aider à écouler quelques travellers-chèques ? J'étais toute prête à lui apporter mon appui et à travailler pour elle.

« Mon histoire devait être plausible et j'étais sans doute bonne comédienne. Elle se plaignit de la solitude dans laquelle elle vivait et m'accueillit à bras ouverts. C'est ainsi que je m'affiliai à une bande de voleurs. »

Lucrezia libéra la main que je tenais et qu'en écoutant je couvrais de baisers. Son visage s'était empourpré.

— Bien sûr, j'ai volé. J'ai partagé leur existence criminelle au ban de la société. Je n'avais aucun recours, aucun secours à attendre de personne. Les preuves de ma culpabilité s'accumulaient ; si la police m'avait arrêtée, j'aurais été condamnée à la prison et incarcérée. Que serait alors devenu mon père ? Je n'avais pas de plus grand souci. J'ai appris ce qu'il en coûte de vivre sans innocence et de n'exister que dans la peur. Après cette expérience de huit mois entiers désormais aucun travail honnête ne me paraîtra rebutant.

J'aurais voulu la supplier de se taire. Elle avait besoin de parler, de s'appuyer sur nous, de nous dire : « Voyez ce que j'ai fait, voyez quel enfer j'ai traversé. Jugez-moi si vous le pouvez encore. »

Elle but le café que Pia avait servi et je me levai pour la débarrasser de sa tasse.

— Quand avez-vous connu les Torriti ?

— Au mois d'avril. La comtesse Selényi me fit inviter. J'avais entendu parler dans les journaux de l'arrivée à Rome de la grande-duchesse Olga. La campagne de presse qui célébrait cet événement louait à l'envi la confiance et l'intuition du comte Orlando Torriti qui, dès la première rencontre, avait cru en elle. Pour se convaincre de l'identité de la réfugiée, il n'avait pas hésité à se rendre dans une Allemagne dévastée et presque entièrement occupée. Il l'avait fait admettre en Italie. Il me parut alors que j'étais sur la bonne voie. La réhabilitation de la grande-duchesse et son arrivée à Rome étaient, comme la découverte et la disparition de la parure de rubis, un événement qui touchait au tragique destin de la famille du tsar. Certains renseignements, obtenus sans grande peine, éclairaient d'un jour suspect la générosité des Torriti. Nicolas II avait en dépôt, à Londres, une fortune qui se montait à dix millions de dollars en 1914. Qu'un héritier, ou une héritière, fût en mesure de prouver sa filiation avec l'impériale victime d'Ekaterinbourg, et cet héritage lui reviendrait aussitôt. Les années de guerre, qui ne comptent pas en matière de prescription, prolongeaient le délai des trente ans. La parure de rubis, je devais l'apprendre par la suite, portée par une Russe dont la ressemblance avec Nicolas II était évidente, fournirait la preuve de son identité. L'idée vint-elle au comte Orlando après qu'il fut entré en possession des bijoux ? Explique-t-elle au contraire les attentats dont je fus l'objet et le vol dont mon père fut victime ? La grande-duchesse Olga n'est qu'une malheureuse, entièrement au pouvoir des Torriti et de leur complice, cette Verdesi qui ne la quitte pas d'un pas. Si leur projet avait réussi, la supposée Olga Romanov n'aurait touché qu'une infime partie de la fabuleuse fortune à laquelle les Torriti auraient eu accès.

— Etes-vous certaine que les Torriti furent les instigateurs des agressions dirigées contre vous ?

— Certaine, oui. Ils étaient très liés avec le prince Renato et sa femme. Ceux-ci se vantèrent d'avoir retrouvé en Afghanistan une parure inestimable qui avait appartenu à la famille de la princesse Sophie. Ils lancèrent des chiffres et parlèrent de trois cent mille dollars. Ils ne cachèrent pas qu'ils avaient chargé le joaillier Allegri de les récupérer et que sa fille avait accepté la mission.

« Deux mois après l'arrestation de mon père, j'étais parvenue à savoir qui avait volé la parure et ce que les voleurs comptaient en faire. Ce n'était pas un maigre résultat. Pourtant, les difficultés n'étaient pas aplanies. Je ne savais pas où le comte Orlando cachait les rubis. L'aurais-je su que rentrer en possession de ce trésor posait des problèmes insurmontables.

Lucrezia interrompit son récit pour nous demander une autre tasse de café. Je bougeai pour la lui servir.

— Ecouter cette histoire vous est pénible, Thibaut, n'est-ce pas ? J'ai mené depuis huit mois une vie humiliée et coupable. Pouvez-vous encore m'aimer, moi qui ne fus jamais une espionne, mais qu'il est facile de convaincre de nombreux vols ?

Je revins m'asseoir auprès d'elle, j'entourai ses épaules de mon bras. Elle s'appuya contre moi et j'éprouvai un grand bonheur de sa confiance et de son abandon.

— Qui vous avait fait arrêter comme espionne ?

— Les Torriti. Leur grand nom, leurs illustres relations leur ont permis de toucher les autorités qui alertèrent vos Affaires étrangères. Ils comptaient bien s'emparer des bijoux avant mon retour. A Rome, l'amitié qui les liait au prince Renato et à la grande-duchesse Sophie leur aurait créé des difficultés. Débarquée dans un port méditerranéen, je ne pouvais que tomber en leur pouvoir. Ils avaient et ils ont encore le bras long.

« Depuis l'arrivée de la supposée grande-duchesse Olga, les liens d'amitié se sont relâchés entre les Torriti et Leurs Altesses.

Séran eut un petit rire.

— Je le crois sans peine.

— Mon récit est presque terminé, Thibaut, et je ne vous ferai plus souffrir.

« Il m'a fallu beaucoup de patience. Le comte Orlando s'étonnait de me voir refuser ses avances. Pour ménager son amour-propre, je lui ai joué une comédie assez vilaine. Les raisons de haïr cet homme ne m'ont pas manqué. Quand il commanda à Luigi Maderno le portrait de la grande-duchesse, je pus enfin apercevoir la parure. Sans l'aide du peintre, sans le désespoir auquel Orlando Torriti l'avait acculé et qui le rendait indifférent aux conséquences de ses actes, jamais je ne m'en serais emparée. Pas un instant, les Torriti ne soupçonnèrent notre complicité. Le silence de Maderno leur était

179

acquis et j'étais une des leurs. S'ils m'abandonnaient, j'allais en prison. Ils pouvaient se permettre d'avoir confiance en nous.

« Ils avaient insisté pour que l'artiste, en faisant le portrait d'Olga Romanov, mît l'accent sur sa ressemblance avec le tsar et peignît avec précision la parure de rubis. Luigi avait grommelé :

« — Que voulez-vous donc ? Une photographie ?

« Orlando avait eu son petit rire déplaisant.

« — Votre maître, le Bronzino, n'hésitait pas à rendre les détails avec une finesse et une précision de miniaturiste...

« Maderno n'avait pas répondu. Son regard trahissait une haine qui, de loin, dépassait la mienne. Docile à mes prières, Luigi demanda qu'on lui confiât les joyaux pendant une heure au moins. Il avait toujours exigé d'être seul quand il travaillait. A notre profond soulagement, Orlando Torriti y consentit. Ce matin donc, il lui remit la parure. Matteo gardait la porte. Luigi était seul dans un atelier dont les fenêtres s'ouvrent sur la première cour du palais. J'attendais là. Luigi me jeta le paquet. Il avait soigneusement enveloppé les rubis d'ouate et de papier de soie avant de les entourer de plusieurs épaisseurs de papier brun. Je m'enfuis, en emportant ce trésor que j'allais déposer aussitôt chez le concierge du palais Farnèse. Puis je courus jusqu'à la gare du piazzale Flaminio, à temps pour attraper le train de Viterbe.

« Luigi Maderno me rejoignit au moment où le train démarrait. Il paraissait à bout de souffle.

« — Comment êtes-vous parvenu à vous libérer, Luigi ?

« Il me regarda et haussa les épaules.

« — Me voilà. C'est le principal. Je suis vigoureux. Matteo ne nous espionnera plus.

« — A-t-il eu le temps de donner l'alarme ?

« — D'un coup de poing bien envoyé, j'ai envoyé Orlando promener et je suis sorti sans encombre.

« Il avait envie de se taire.

« — Vous ne craignez pas d'avoir été suivi ?

« Je n'obtins pas de réponse. A l'arrivée à Viterbe, je me crus sauvée. Le train n'était pas encore arrêté que j'avais déjà aperçu Orlando et deux de ses acolytes, l'un dévoué aux intérêts de la comtesse Selényi, Giovanni Luca, — celui qui fait aux étrangers le coup de la montre, — et l'autre, une brute plusieurs fois repris de justice et que les Torriti n'emploient que dans les cas extrêmes.

« — Les avez-vous vus, Lucrezia ? demanda Luigi.

« Ce fut à mon tour de garder le silence. Je tremblais. La parure était à l'abri, mais si je retombais entre les mains d'Orlando, c'en était fait de moi. Avant que j'eusse pu l'en empêcher, Luigi Maderno longea le couloir, ouvrit la portière et descendit à contre-voie. Je me précipitai derrière lui. Alors, j'aperçus le train qui venait en sens inverse. Le cri d'avertissement que je poussai vint trop tard.

« Secouée par les sanglots, désespérée de me sentir coupable de la mort de Luigi Maderno, quand, parmi l'agitation de la foule, Orlando Torriti s'approcha de moi, je me laissai emmener sans résistance. »

Alors qu'elle avait mené à bien la tâche écrasante qu'elle s'était imposée, le visage de Lucrezia trahissait plus d'abattement que de triomphe.

Il m'appartenait d'effacer le mal qu'on avait fait à son âme, de lui rendre, à force d'attention et d'amour, la joie qu'on lui avait prise. Je l'aimais. J'avais hâte de lui montrer sans me lasser cet amour qui n'avait cessé de m'habiter depuis le premier moment où le grand regard de Lucrezia Allegri s'était tourné vers moi.

Ce fut Jean-Emmanuel qui parla.

— Pauvre Lucrezia... A quoi bon vous dire que nous comprenons et que nous compatissons ? Je laisse ce soin à Thibaut. Dès demain matin, nous nous emploierons à faire libérer votre père. Nous rendrons la parure à ses propriétaires en exigeant d'eux une légitime compensation pour tout le tort qu'ils vous ont fait.

— Je n'accepterai rien, dit Lucrezia avec simplicité. Qu'ils réhabilitent mon père et qu'ils lui donnent les moyens d'exister. Dans cette aventure, on lui a pris tout ce qu'il possédait. Ce que j'ai perdu ou failli perdre, comment pourraient-ils me le rendre ?

Alors, je dis très haut :

— C'est à moi que ce soin appartient.

Et je m'efforçai de sourire :

— Comme vous, Lucrezia, je tiens toujours mes promesses.

Elle baissa les paupières.

— Comme c'est loin, la *Joyeuse,* Thibaut...

— Comme c'est près, l'amour, Lucrezia...

Elle resta silencieuse. Je pensai au commandant d'Harleville. Je savais où je pouvais l'atteindre pour lui annoncer des fiançailles qui ne le surprendraient pas.

— Naturellement, vous demeurerez ici maintenant et aussi longtemps qu'il le faudra, dit Séran. Pourquoi n'iriez-vous pas tous les deux vous promener autour de la place Navona, pendant que Pia et moi apportons à cet appartement les transformations nécessaires ? Je préfère vous laisser ma chambre, mademoiselle, et coucher ici sur le divan.

Lucrezia tourna vers nous un regard encore solitaire, encore égaré.

— Je n'ai pas de mots pour vous dire merci.

*
* *

C'est ici que j'avais interrompu mon récit. Mes doutes n'étaient-ils pas à jamais dissipés et apaisée mon angoisse ? Enfin, Lucrezia m'était rendue, épuisée et meurtrie, mais semblable à la jeune fille que j'avais aimée et qui avait animé de sa multiple présence la fête de mes rêves.

Pourtant, parce que je souhaite me souvenir de chaque instant que ce soir-là m'a donné, je veux évoquer encore notre promenade nocturne.

Séran avait ouvert la porte devant nous. Dans l'escalier, le froid nous surprit.

— Vous n'avez pas de manteau, Lucrezia ?

— Non.

Je n'osai pas la serrer contre moi, l'envelopper de ma chaleur, lui faire cette première, cette pauvre offrande. Je lui pris la main. Elle abandonna entre mes doigts ses doigts glacés. Nous restâmes silencieux. J'ouvris la porte de la rue. Le clair de lune d'automne nous surprit, nous happa dans ses molles pâleurs. Lucrezia eut un mouvement de recul.

— Vous souvenez-vous, Thibaut ?

— Je me souviens.

— Vous m'avez accueillie et réconfortée. Vous ne m'avez posé aucune question.

Et je pensais : «J'aurais dû l'accompagner. Je ne l'ai pas réclamée aux enfers. Je n'ai rien fait d'autre que me taire et garder ma foi. »

— D'un seul mot, vous auriez tué mon âme, Thibaut. Vous n'avez pas mesuré mon désespoir. Pendant tous ces mois, je n'ai eu qu'un refuge : le souvenir des quelques paroles que vous m'aviez dites, du baiser que vous m'aviez donné. Quand je sombrais, c'était à vous que j'accrochais mes doigts ; quand la honte des actes dont j'étais complice ou l'horreur de ce que j'entendais avaient raison de ma conscience, c'était vous que j'appelais, vous qui étiez pour moi l'honnêteté, la lumière et la force. Si ce penchant que vous m'aviez montré à notre première rencontre, et qui a éveillé en moi la douceur du premier amour, n'avait pas résisté à l'épreuve, vers qui aurais-je tourné les yeux, qui m'aurait portée à bout de bras au-dessus de la boue où je manquais m'enliser ? Le combat où je me suis engagée seule, je n'avais pas d'autres armes pour le mener à bien que l'amour de mon père et pas d'autre bouclier que l'amour de vous.

Nous nous étions avancés sur la place Navona. Nous marchions l'un près de l'autre dans la clarté de la lune. L'écho nous renvoyait le bruit uni de nos pas.

L'église Sainte-Agnès jetait sur nous son ombre. Les yeux de Lucrezia n'avaient pas retrouvé leur limpide douceur. Son beau visage amaigri retenait les lignes anxieuses que la souffrance et le mensonge y avaient dessinées. Elle me regardait avec une quête douloureuse. On eut dit l'enfant abandonné qui attend en vain le choix de parents adoptifs.

Je pris sa tête entre mes mains et je me penchai pour baiser ses lèvres. Elles s'ouvrirent, consentantes.

— Thibaut...

Elle avait caché son front contre mon épaule. Aucun pouvoir au monde ne serait parvenu à desserrer mes bras.

— Je vous aime, Lucrezia. Nous quitterons Rome si trop de souvenirs douloureux vous y guettent. Nous partirons vers un autre continent. Nous vivrons en Extrême-Orient... En Australie...

Elle dit tout bas :

— De l'autre côté de la nuit.

Tendue vers moi, elle souriait. Les mots inattendus lui étaient montés du cœur, comme pour m'apporter la solution à l'énigme.

— Vous avez seule traversé les ténèbres, Lucrezia. Comment oserais-je encore être votre guide ?

Elle dit très haut :

— Maintenant, je pourrai enfin écrire au marchand Shéhabî à Kaboul et lui annoncer que l'épreuve dont il m'avait prédit les affres m'a offert des possibilités de rédemption et de victoire.

Elle prit mes deux mains et les caressa de sa joue.

— Je vous aime, Thibaut. Je vous aime tellement.

J'avais beau la couvrir de baisers, elle était aussi blanche que la pierre où le Bernin a sculpté ses statues des quatre fleuves ; elle était aussi froide et scellée que ces fontaines sans eau.

Elle m'embrassa avec tristesse.

— Je suis comme une vieille femme accablée d'années et de maladies.

— Je vous rendrai votre jeunesse pour veiller sur la mienne. Je vous ai rencontrée au bout de la guerre et de la mort, Lucrezia. Tout est nouveau. Nous sommes au commencement des temps. Ensemble, l'obscurité vaincue, nous partirons à la recherche de l'autre.

Elle avait attaché à mon visage un long regard aimant. Pour un instant, je retrouvais sur ses traits, dans l'élan de son corps tendu vers moi, ce mélange de candeur et d'audace qui, m'avait apporté un singulier bien-être.

Créature d'ombre et de clarté, à l'image de la place romaine que la lune coupait de plans obliques, elle eut un sourire exquis :

— Thibaut, vous que j'aime, qu'est-ce donc que l'autre côté de la nuit ?

Je l'attirai vers moi, fragile et forte comme sont les femmes. Je la gardai dans mes bras et je puisai en elle et en l'amour d'elle assez de puissance pour franchir l'inconnu des mondes. Alors, ainsi équilibré, ainsi gréé de toutes mes voiles, de tous mes cordages comme un navire de haute mer, je regardai vers le large.

— L'autre côté de la nuit, Lucrezia, pour nous qui nous aimons, cela porte le plus beau des noms.

Elle hésita :

— L'amour...

— Oui, dis-je, puisque cela s'appelle la Vie.

Brest, 1956

De 1906 à nos jours, la chronique d'une famille en proie à ses déchirements et aux bouleversements mondiaux.

tome 1

LA DYNASTIE DES Mac INNES

Charles Mac Kinnon

Les Mac Innes ont cinq fils : Alasdair, qui a choisi l'armée, enflammé par les récits de son grand-père ; Charles, l'indolent ; Donald, le poète ; Kenneth, que passionnent la terre et les forêts ; Bobbie, le cadet, éternel insatisfait, insaisissable.

Le récit commence en 1906, alors qu'éclatent les premiers remous sociaux et politiques... Alasdair tombe amoureux de la fiancée de Donald, Norma, et déclenche un véritable scandale... Mais ces remous ne sont rien, comparés à ceux que va bientôt entraîner pour la famille Mac Innes la première guerre mondiale...

La mort, les trahisons, les complots auront-ils raison de l'impossible amour de Géraud de Neuville pour la duchesse des Quatre-Croix ?

Les Quatre-Croix, tome 3

LA DAME DE CHEROY

Dominique de Cérignac

Le vieux duc Etienne V des Quatre-Croix meurt après une longue agonie. Son épouse Aliénor, Dame de Cheroy, se trouve en butte au désir sauvage de Foulques Thibaut, l'intendant. Qui de ses enfants pourrait lui prêter secours ?

Amaury, le cadet miraculeusement réapparu, alors qu'on le croyait mort, n'a qu'un tourment : son amour pour la Reine Ingeburge.

Roger le moinillon, est encore bien jeune...

Constance a été enlevée par le Bâtard de Beauvais.

Quant à Géraud de Neuville, s'il se consume toujours d'amour pour la duchesse des Quatre-Croix, il a juré de ne jamais chercher à la revoir. Seul le Roi pourrait le relever de ce serment... mais Philippe Auguste est trop préoccupé par les traîtrises de son demi-frère le Bâtard de Beauvais, prêt à tout pour lui ravir le trône de France.

Pour celles qui aiment les vrais romans d'amour

ROMANESQUE

IMPRIMÉ EN FRANCE PAR BRODARD ET TAUPIN
7, bd Romain-Rolland - Montrouge.
Usine de La Flèche, le 05-02-1976.
6017-5 - n° édition 76020.
Dépôt légal 1er trimestre 1976.